COSTANZA MARINO - CHIARA SANDRI

Italian

ITALIAN COURSE FOR ENGLISH SPEAKERS

Espresso

WORKBOOK

Alma Edizioni
Firenze

2

In **Italian Espresso 2** sono stati utilizzati e rielaborati materiali originariamente creati da Maria Balì, Luciana Ziglio, Giovanna Rizzo.

Direzione editoriale: **Ciro Massimo Naddeo**

Progetto grafico: **Caroline Sieveking** e **Andrea Caponecchia**

Impaginazione: **Maurizio Maurizi**

Progetto copertina: **Sergio Segoloni**

Illustrazioni interne: **ofczarek!**

Stampa: la Cittadina - Gianico (Bs)

Printed in Italy

ISBN 978-88-8923-797-7

© **2007 Alma Edizioni**

Ultima ristampa: novembre 2012

Alma Edizioni
Viale dei Cadorna, 44
50129 Firenze
tel +39 055476644
fax +39 055473531
alma@almaedizioni.it
www.almaedizioni.it

Indice

Incontri

1 Dialogo scombinato

Riordina il dialogo. Le frasi 1-6 sono nell'ordine esatto.

1. Ti ricordi la ragazza che ho incontrato durante il viaggio a Praga?
2. Beh, comunque, non ci crederai, stamattina l'ho incontrata!
3. In una libreria.
4. Sì, ma non subito, anche perché quando è entrata stavo sfogliando un libro.
5. E allora niente, mentre leggevo, è entrata e ha chiesto alla commessa lo stesso libro.
6. Esatto.

a. E beh, allora?

b. Ma non mi dire!

c. E che è successo, racconta! Ti ha riconosciuto?

d. Sì, cioè, più che altro mi ricordo che non vi siete scambiati neanche una parola!

e. Quello che stavi leggendo tu?

f. L'hai incontrata? E dove?

1/___ ; 2/___ ; 3/___ ; 4/___ ; 5/___ ; 6/___ .

2 *Stare per* + infinito - *Stare* + gerundio

Guarda i disegni e completa le frasi con stare per + infinito o stare + gerundio.

1. Renato *(accendersi)* _____ una sigaretta, ma poi si è accorto che era vietato fumare.
2. Licia e Davide *(ballare)* _____ ancora quando siamo andati via.
3. La signora Carlini *(mettersi)* _____ a tavola quando è squillato il telefono.
4. Daniela *(leggere)* _____ il giornale quando sono entrato in cucina.
5. Riccardo *(suonare)* _____ ancora il piano quando sono andata a chiamarlo.
6. Gianni e Teresa *(uscire)* _____ di casa quando Matteo li ha chiamati.

3 Passato prossimo o imperfetto?

Completa il dialogo con i verbi al tempo giusto.

■ Ah, finalmente, ma che fine *(tu-fare)* _____?

▼ Sì, mi dispiace, scusami. *(Provare)* _____ a chiamarti sul cellulare, ma *(essere)* _____ spento.

■ Sì, l' *(lasciare)* _____ a casa.

▼ Beh, guarda, scusami ancora, ma stamattina mi *(succedere)* _____ veramente di tutto!

■ Perché? Che ti *(succedere)* _____? Racconta!

▼ Beh, tanto per cominciare *(rovinare)* _____ una camicia nuova.

■ Come *(fare)* _____, scusa?

▼ E niente, mentre *(stirare)* _____, *(squillare)* _____ il telefono e ...

■ E *(lasciare)* _____ il ferro da stiro acceso ... bravo!

▼ Eh, ma non è tutto. Siccome *(essere)* _____ in ritardo, *(decidere)* _____ di prendere la macchina.

■ Ah, ah.

▼ E quando *(arrivare)* _____ in garage, *(rendersi)* _____ conto di aver dimenticato le chiavi a casa.

■ Un po' distratto, eh!

▼ Molto distratto! Davanti alla porta di casa infatti, *(rendersi)* _____ conto di non avere neanche quelle di casa.

■ Oh, no!

▼ Eh, sì. Per fortuna che la vicina ne ha un paio.

■ Beh, meno male ...

▼ Sì, peccato però che non *(esserci)* _____!

4 Passato prossimo o imperfetto?

Metti i verbi al tempo giusto.

Così stavo andando in metropolitana mi *(venire)* _____ fame *(andare)* _____ da McDonald's a mangiare un McBacon *(scendere)* _____ in piazza Cordusio. (…)
Tutti i McDonald's del mondo sono uguali ma quello di Piazza Cordusio è l'unico in cui che io sappia sedendoti se guardi fuori c'è McDonald's.
(Essere) _____ in coda e *(leggere)* _____, *(pensare)* _____ è proprio strano questo. (…)
Quando *(arrivare)* _____ alla cassa, *(esserci)* _____ una ragazza.
Non *(riuscire)* _____ più a capire che panino *(volere)* _____ ero in Piazza Cordusio in uno dei due McDonald's *(nevicare)* _____ la sera del giorno della mia laurea con l'intenzione di mangiare un McBacon *(arrivare)* _____ il mio turno alla cassa numero 3. (...)
Lei mi *(guardare)* _____ mi *(dire)* _____ ciao io le *(dire)* _____ un Kingbacon una Coca lei *(sorridere)* _____ mi *(correggere)* _____ *(dire)* _____ McBacon io non *(riuscire)* _____ a staccare gli occhi dai suoi.

(da "Amore mio infinito", di A. Nove)

Incontri

1

5 Combinazioni

Ricostruisci il testo.

○ a mangiare e l'ha portata in una pizzeria, mentre Veronica si aspettava

○ disastro e Susanna vuole conoscerne il motivo. Veronica credeva

○ Veronica incontra l'amica Susanna che le chiede come è andato

○ di fare una passeggiata e prendere un aperitivo, ma Flavio è voluto andare subito

○ per tre e alla fine il conto l'ha dovuto pagare addirittura lei!

○ l'incontro con Flavio. Veronica risponde che è stato un vero e proprio

○ un localino a lume di candela. Durante la cena poi lui si è messo a telefonare, ha bevuto

6 Lessico - Incontri

Inserisci orizzontalmente ⟶ *le parole nello schema al numero corrispondente. Se le risposte saranno esatte, le caselle scure daranno un proverbio.*

Si sono conosciuti tramite un'agenzia ___(4)___ . Un mese dopo si sono dati ___(3)___ in un bar. ___(11)___ com'era-no, all' ___(5)___ non si sono praticamente ___(2)___ una parola. Si sono limitati ad ___(1)___ gli occhi dal libro che stavano ___(7)___ , si sono guardati e … ed è stato subito un ___(8)___ di fulmine. "La mia donna ideale", ha pensato lui. "Il mio ___(6)___ azzurro", ha pensato lei. Alla ___(10)___ , sicuri tutti e due di aver trovato nell'altro l' ___(9)___ gemella, si sono ___(12)___ amore eterno. E oggi? Saranno ancora insieme?

Griglia del cruciverba con lettere iniziali:
1 A, 2 S, 3 A, 4 M, 5 I, 6 P, 7 S, 8 C, 9 A, 10 F, 11 T, 12 G

Soluzione: ▢▢ ▢▢▢▢▢ ▢▢▢ ▢▢ ▢▢▢▢▢▢▢ .

Significa che i sentimenti non prendono ordini e che la volontà può poco sugli affetti.

7 Passato prossimo o imperfetto?

Completa la lettera con i verbi al tempo giusto. I verbi non sono in ordine.

invitare	uscire	decidere	cambiare	essere	dire	parlare
sembrare	andare	diventare	uscire	fare	essere	andare

Finalmente domenica sera _____ al cinema. _____ da tempo che non _____ di casa insieme. All'inizio _____ sempre fuori o _____ degli amici a cena, ma con il tempo le nostre abitudini _____ e _____ meno dinamici. Alla fine però anche questo tran tran diventa noioso e qualcosa di diverso rende la vita meno monotona. "Finalmente una novità" - _____ mia moglie con gioia - "speriamo che il film sia bello, me ne _____ tanto!"
Ma già all'inizio ci _____ poco interessante. Non si capiva niente!
Così _____ dalla sala dopo mezz'ora e alla fine _____ che stare a casa, come _____ sempre, non _____ poi tanto male.

8 Combinazioni

Collega la frasi di sinistra con quelle di destra e metti i verbi al tempo giusto.

1. Mi dispiace per ieri sera,

2. Scusami per il ritardo,

3. Io e mio marito stasera siamo soli,

4. Sono stanca perché stamattina

5. Luca è rimasto in ufficio fino alle 23.00, così

a. ma stamattina *(dovere)* _____ accompagnare mia sorella all'aeroporto.

b. non *(potere)* _____ venire alla festa.

c. mi *(dovere)* _____ alzare alle 5,00.

d. i bambini *(volere)* _____ rimanere con i nonni.

e. ma purtroppo all'ultimo momento *(dovere)* _____ andare a cena con la famiglia di mia moglie.

9 Passato prossimo e imperfetto

Trasforma le frasi al passato, come nell'esempio.

> ***Deve*** risparmiare perché non ***ha*** più soldi.
> ***Ha dovuto*** risparmiare perché non ***aveva*** più soldi.

1. Mi devo mettere a pulire la stanza che è un disastro.

   _____.

2. Vogliamo partire di notte perché c'è poco traffico.

   _____.

3. Posso uscire perché la baby sitter rimane un po' di più.

   _____.

4. Devono pagare loro perché io sono al verde.

   _____.

5. Vuole riposare un po' perché è troppo stanco.

   _____.

6. Può trovare un lavoro migliore perché si laurea.

   _____.

10 Passato prossimo o imperfetto

Metti i verbi al tempo giusto.

1. *(io - Sapere)* _____ che ti sei laureato, bravo!
2. Dove *(tu - conoscere)* _____ la tua ragazza?
3. Quando *(io - arrivare)* _____ a Barcellona tre anni fa, non *(conoscere)* _____ nessuno.
4. Ma sì, Luca *(abitare)* _____ per due anni a Londra, non lo *(sapere)* _____ ?
5. Scusateci per il ritardo, ma non *(conoscere)* _____ bene la strada e così *(perdersi)* _____ !
6. Beh, allora? I tuoi genitori *(conoscere)* _____ già Marco o ancora no?
7. Oddio, io *(preparare)* _____ l'arrosto e tu sei vegetariano, scusami, ma davvero non lo *(sapere)* _____ !

11 Passato prossimo o imperfetto
Metti i verbi al tempo giusto.

1. Mara e Silvia *(arrivare)* _____ all'aeroporto alle 10 di mattina e *(aspettare)* _____ i loro bagagli per quasi un'ora. Poi *(uscire)* _____. *(Essere)* _____ indecise se prendere il taxi o aspettare l'autobus. Alla fine *(preferire)* _____ l'autobus. *(Arrivare)* _____ in centro città mezz'ora dopo perché *(esserci)* _____ un traffico terribile e la gente *(camminare)* _____ in mezzo alla strada.

2. Quando Franco *(arrivare)* _____ per la prima volta a Venezia, *(prendere)* _____ la gondola e *(andare)* _____ verso piazza San Marco. *(Volere)* _____ visitare il Palazzo Ducale. Quel giorno però *(esserci)* _____ un caldo terribile, l'aria condizionata non *(funzionare)* _____ e così il Palazzo Ducale *(essere)* _____ chiuso. Franco purtroppo *(rimanere)* _____ fuori.

12 Passato prossimo o imperfetto
Completa il racconto di Paolo con i verbi al tempo giusto.

Quest'anno *(decidere)* _____ di andare in vacanza in un villaggio turistico e devo dire che *(trovarsi)* _____ proprio bene. *(Fare)* _____ sport, *(conoscere)* _____ tanta gente simpatica e *(riuscire)* _____ anche a riposarmi un po'.
Il villaggio *(essere)* _____ vicinissimo al mare, i bungalows *(essere)* _____ molto puliti e la cucina *(essere)* _____ non solo molto buona, ma anche varia. *(Esserci)* _____ addirittura dei piatti per le persone vegetariane.
Una cosa che mi *(piacere)* _____ molto è che non si *(essere)* _____ costretti a partecipare alle varie attività.
Chi *(volere)* _____, *(potere)* _____ andare in spiaggia e restarci anche tutto il giorno.
Io, per conto mio, *(partecipare)* _____ a molte attività; in dieci giorni *(imparare)* _____ a fare surf e a ballare la salsa.

13 Pronomi
*Completa la lettera con i **pronomi** della lista.*

Carissima,
scusa_____ se non _____ ho più richiamato, ma sono dovuta andare a scuola a prendere Tommaso perché purtroppo _____ è sentito male. Comunque niente di serio, era solo un mal di pancia. La cosa, tra l'altro non _____ sorprende visto che ieri è voluto andare al fast food (ha mangiato tre cheeseburger!). Adesso finalmente dorme così ho un po' di tempo per _____. Queste ultime settimane sono state veramente faticose, la mia collega _____ è ammalata e io ho dovuto sostituir_____ per una settimana, così oltre al mio lavoro ho dovuto fare anche il suo. Pensa che ho avuto così tanto da fare che non sono potuta andare neanche a fare la spesa, è dovuta andarci mia madre. Comunque dalla prossima settimana sono in vacanza così _____ possiamo finalmente vedere.
_____ abbraccio
Stefania

la
si
mi
si
ti
ci
mi
ti
me

14 Riscrittura

*Riscrivi il racconto di Matteo alla **terza persona singolare**.*

Mi chiamo Matteo, ho 38 anni.
Quando avevo 18 anni andavo al Liceo. Avevo un motorino, un cane di nome Gianduia e una collezione di bottiglie di birra vuote […] Io leggevo le notizie sul sito dell'ANSA e poi andavo a vedere cosa ne scrivevano negli altri paesi, consultando gratis i siti dei maggiori quotidiani esteri. Mia madre mi sgridava perché dovevo studiare e smettere di sprecare il mio tempo davanti al computer.
Frequentavo molte comunità virtuali, avevo diversi nomi, tante personalità e mi divertivo un sacco. Quando chattavo usavo lo pseudonimo di Stardust. […]
Ero il moderatore di un Forum sui fumetti e i cartoni animati giapponesi. […] Io e gli altri utenti della comunità scaricavamo i cartoni dai programmi peer to peer e poi li traducevamo nella nostra lingua. Molti avevano già i sottotitoli in inglese. […] Sul forum ci scambiavamo i cartoni tradotti, i link più interessanti. […] Spesso arrivavano degli utenti esterni, che ci facevano i complimenti per il nostro lavoro. […]

Si chiama Matteo...

15 Pronomi personali

*Completa il dialogo con i **pronomi personali**.*

■ Allora, Veronica, com'è andato l'incontro? Racconta!

▼ Lasciamo stare va, che è meglio! È stato un disastro!

■ Perché? Che _____ è successo?

▼ Dunque, l'appuntamento era alle sette. _____ ho pensato che forse voleva prendere un aperitivo, o fare una passeggiata, e invece niente, è voluto andare subito a mangiare.

■ Va be', forse aveva fame!

▼ Sì, forse. Comunque sia _____ ha portato in una pizzeria ...

■ E tu ti immaginavi il localino a lume di candela ...

▼ No, però neanche una pizzeria! Comunque, appena siamo arrivati _____ è messo a telefonare.

■ Lì in pizzeria?

▼ Sì. E così ha parlato al telefono per mezz'ora e _____ lì ad aspettare ... e _____ sai che io non sopporto né aspettare né che _____ telefoni a tavola.

■ Eh, sì, anche a _____ dà fastidio.

▼ Beh, per farla breve. Ha parlato tutto il tempo di lavoro, ha mangiato e bevuto per tre e alla fine non _____ ha neanche invitato.

■ No! Hai dovuto pagare_____?

▼ Sì.

Progetti futuri

1 Lessico - Annunci di lavoro

Completa gli annunci con le professioni della lista (non tutte sono necessarie).

architetto per interni	cuoco	infermiere

ingegnere	insegnante	medico	panettiere

pensionato	segretaria	studente

Azienda leader nei servizi di pulizia ricerca

_____

conoscenza inglese e tedesco,
conoscenza DOS e WINDOWS
max 30 anni
Domanda a: Att.ne Enrico Caruso,
corso Melette 57, 36100 Vicenza

①

Ministero degli Esteri cerca

_____

Specializzazione in chirurgia
Disponibilità a trasferirsi in Africa
per due anni

Curriculum a: Att.ne Dottor Franchi,
viale Farnesina 1, 00194 Roma

②

Studio tecnico di Trieste cerca
per la sua sede di Udine

_____

esperto in strade e autostrade con ponti
Curriculum a: stutec@virgilio.it

③

Cercasi per ristorante
(solo periodo natalizio)

_____ con esperienza
cucina e specializzato nei primi

Scrivere a: Att.ne Mario Gavazzano,
via del Cerreto 4, 34122 Trieste

④

Cercate un impiego part-time da fare a casa?
Abbiamo la giusta occasione per voi.

Cerchiamo _____ sotto i 25 anni
con un po' di tempo libero, militare assolto,
nessuna esperienza nel settore.
Telefonare allo 02/26411900 chiedendo di Marco

⑤

2 Lessico - Professioni

Trova nello schema 16 professioni (4 orizzontali ➝ *, 6 verticali* ↓ *e 6 diagonali* ↗ ↘ ↙ ↖ *).*

a	s	s	i	c	u	r	a	t	o	r	e	m
u	g	c	m	c	u	o	c	o	l	l	e	c
t	i	r	p	a	c	h	n	s	e	d	m	a
i	a	o	i	r	i	i	l	o	i	u	n	m
s	r	s	e	c	n	t	n	c	s	i	v	e
t	d	a	g	g	o	i	o	i	m	p	o	r
a	i	b	a	u	t	l	c	a	m	e	p	i
r	n	b	t	s	p	i	t	t	o	r	e	e
r	i	d	o	s	s	o	u	o	c	h	r	r
o	e	p	l	t	r	s	t	e	r	p	a	e
u	r	t	a	e	v	p	o	z	z	e	i	s
s	e	g	r	e	t	a	r	i	a	l	o	e

3 Lessico - Qual è la reazione adatta?

Abbina le frasi del primo e del secondo gruppo. Se gli abbinamenti sono giusti, le lettere nelle caselle, lette di seguito, daranno un modo di dire.

1. Hai un lavoro dipendente?
2. Sei mai stata all'estero?
3. Che orario di lavoro settimanale hai?
4. Sei impegnato tutto il giorno?
5. Che occupazione hai?
6. Hai qualche disturbo a causa del tuo lavoro?
7. Uomini e donne hanno lo stesso trattamento?
8. È duro il carico di lavoro femminile?
9. Le condizioni di lavoro sono migliorate ultimamente?
10. Cos'è che favorisce lo stress?

a. No, se paragonate a quelle di 5 anni fa. M A T
b. No, lavoro part-time. R A T
c. Lavoro con il computer. I C A
d. Di 38 ore. L A P
e. Sì, soffro di stress. D E L
f. No, i primi hanno lavori di maggior prestigio! L A G
g. Certo, perché è aggravato dalle attività familiari! R A M
h. L'eccessiva intensità del ritmo di lavoro. I C A
i. No, ho sempre lavorato qui in Italia. P I Ù
l. No, sono in proprio. V A L

Soluzione:

▬▬▬ ▬▬▬ ▬▬ ▬▬▬▬▬▬ ▬▬▬▬ ▬▬▬▬▬▬▬▬▬

Significa che il lavoro pratico è spesso più importante della teoria.

4 Lessico - Ho risposto a un annuncio...
Completa il dialogo con le espressioni della lista.

| sbrigare | non ce la fai | lasci stare | mi sa che | per conto mio | mettere in proprio |

| ho presentato domanda | mi sono permessa | non vedo l'ora di |

● Ma scusa, non sei stanca del tuo lavoro?

◆ In effetti sì. Anzi proprio oggi ho risposto a un annuncio e _____ all'azienda dei miei parenti.

● Ti hanno già risposto?

◆ Finora no e _____ non lo faranno.

● Guarda che _____ di parlare di te al mio capo, ma ti devi _____ a mandargli il tuo curriculum, perché altrimenti _____ ad avere il posto.

◆ Mah, in fondo è meglio se _____… Sai, non ne posso più di essere dipendente e _____ lavorare _____.

● Davvero sei sicura di volerti _____? Secondo me ci sono anche molti svantaggi … Pensaci bene!

5 Futuro - Se andrai avanti così ...?
Scrivi i verbi al futuro. Alla fine nelle caselle grigie potrai leggere la risposta alla domanda del titolo.

orizzontali →

1 essere (tu)	19 fare (tu)
3 comprare (lui)	21 volere (tu)
9 essere (noi)	22 leggere (lei)
10 avere (tu)	23 comprare (tu)
12 arrivare (tu)	24 vedere (voi)
14 abitare (loro)	25 stare (loro)
15 vivere (io)	26 lavorare (tu)
16 scoprire (tu)	27 avere (loro)
18 essere (io)	

verticali ↓

2 arrivare (noi)	17 andare (voi)
4 mangiare (io)	20 avere (io)
5 pagare (io)	
6 dovere (tu)	
7 pagare (voi)	
8 vivere (tu)	
9 essere (loro)	
11 fare (io)	
13 insegnare (lei)	

Progetti futuri

2

6 Futuro - Cosa farò da grande...

*Completa i testi con i verbi al **futuro**. I verbi non sono in ordine.*

| andare | andare | avere | ritornare | partire | restare | sposarsi | trasferirsi | vivere |

Elena: Dopo il diploma non _____ all'università. Ho intenzione di lavorare e di aprire un negozio di fiori. _____ nella mia città e non _____ come hanno fatto i miei fratelli. Però non _____ con i miei genitori. Infatti ho deciso che _____ ad abitare da sola. Prima o poi di sicuro _____ e _____ dei figli, ma per il momento preferisco non avere un ragazzo fisso. Ma quanti progetti! Intanto domani _____ per la Sardegna e _____ a casa più o meno fra due settimane.

| avere | conoscere | dovere | essere | essere | fare | potere | vivere |

Sofia: Quando _____ grande _____ l'interprete. Così _____ la possibilità di girare il mondo e di guadagnare un sacco di soldi. È vero, _____ andare via di casa, ma la mia vita _____ di certo molto interessante. _____ in una grande città, in una villa piena di stanze dove _____ invitare i moltissimi amici che sicuramente _____ con il mio lavoro.

7 Futuro - Progetti

I genitori di Damiano hanno per lui dei progetti diversi dai suoi.
Quali sono secondo te i progetti dei genitori e quali quelli di Damiano?

dopo il diploma andare all'università / dopo il diploma viaggiare un po'
iscriversi alla facoltà di ingegneria / iscriversi alla facoltà di storia dell'arte
comprare una macchina / comprare una moto
vivere con i genitori fino al matrimonio / andare a vivere da solo
trovare un posto fisso / fare diverse esperienze
restare nella sua città / trasferirsi all'estero
aprire un'impresa / aprire un negozio di antiquariato

I genitori raccontano:
Dopo il diploma nostro figlio ***andrà*** all'università ...

_____
_____
_____
_____
_____

Damiano racconta:
Dopo il diploma ***viaggerò*** ...

_____
_____
_____
_____
_____

8 Concordanze - Prima o poi...

Completa la trascrizione dell'ascolto apparso nell'attività 3 della Lezione 2 con i verbi nei tempi e nei modi opportuni. I verbi sono in ordine.

laurearsi	andare	volere	fare	fare	offrire
accettare	dovere	aprire	essere	avere	

- ● Allora Matteo, adesso che _____ cosa hai intenzione di fare?
- ◆ Voglio andarmene per un po' di tempo all'estero.
- ● All'estero? E dove?
- ◆ In Irlanda. Penso che _____ a dare una mano a mio zio, quello che ha il ristorante a Dublino.
- ● Non _____ andare a fare il cameriere dopo tanta fatica per laurearti!
- ◆ Perché no? Oggi bisogna essere flessibili. E poi credo che mi _____ bene fare un'esperienza diversa prima di cominciare a lavorare sul serio... anzi, secondo me, _____ bene anche a te.
- ● Mah, non lo so, sai, mi _____ un posto in un'agenzia assicurativa.
- ◆ In un'agenzia assicurativa?
- ● Beh, sì, lo so che non è il massimo, però penso che _____ .
- ◆ Ma Fabiano, dici sul serio? In un'agenzia assicurativa? E quando inizi?
- ● Mah, più o meno fra due mesi perché prima _____ fare un corso di formazione.
- ◆ Hmm... però prima o poi la nostra azienda agrituristica la _____, vero?
- ● Sì, sì, certo! Quando _____ più vecchi e _____ un po' di soldi!

9 Lessico - Prima o poi...

Rileggi la trascrizione dell'ascolto della Lezione 2 apparsa nell'esercizio precedente e cerca le espressioni che corrispondono alle parole sottolineate.
Poi riscrivi le frasi qui di sotto usando le espressioni del dialogo, come nell'esempio.

1. Hai finito l'università?   *Ti sei laureato?* _____
2. Andrò ad aiutare la mia famiglia.   _____
3. Si deve essere gentili con tutti.   _____
4. Oggi devo studiare seriamente.   _____
5. Questo lavoro non è l'ideale, ma ...   _____
6. Ho studiato circa tre ore.   _____

10 Lessico - Bisogna, non bisogna...

Forma delle frasi.

1. Per non trovare traffico
2. Il treno è diretto, quindi
3. Per trovare un lavoro
4. L'entrata è gratis, quindi
5. Quando si è al cinema
6. Se si vuole lavorare nel turismo

bisogna

non bisogna

spegnere il telefonino. (a)
sapere usare il computer. (b)
conoscere le lingue straniere. (c)
uscire presto di casa. (d)
comprare i biglietti. (e)
cambiare. (f)

11 Lessico - *È necessaria, si può, bisogna, c'è bisogno*
Completa il brano con è necessaria, si può, bisogna, c'è bisogno.

Quando entriamo in Internet veniamo a contatto con un grandissimo numero di dati forniti (il più delle volte gratis) da altre persone. Per questo _____ rispettare coloro che offrono a tutti informazioni che altrimenti sarebbero di pochi. _____ un'autodisciplina*, perché _____ decidere se entrare in Internet come persone corrette o meno. Insomma, non _____ di sottolineare che è importante navigare nel rispetto delle regole di buona educazione.

autodisciplina = disciplina (= complesso di regole per un comportamento corretto) che l'individuo impone a se stesso.

12 Frasi ipotetiche - Se non ti sbrighi...
Unisci le frasi della prima colonna con quelle della seconda.

1. Se non ti sbrighi,   stasera vi veniamo a trovare. (a)
2. Se non ha la macchina,   chiami un tecnico. (b)
3. Se avrò bisogno di una mano,   digli che lo sto cercando. (c)
4. Se vedi Giulio,   vengo anch'io al concerto domenica. (d)
5. Se mia moglie non è troppo stanca,   arrivi di nuovo tardi al lavoro. (e)
6. Se riesco a trovare ancora un biglietto,   ti chiamerò. (f)
7. Se avrà di nuovo problemi con il computer,   la vengo a prendere io. (g)

13 Frasi ipotetiche - Se...
*Collega le frasi e metti i verbi al **futuro**.*

1. Se Paolo arriva di nuovo tardi   mi *(cercare)* _____ un altro lavoro. (a)
2. Se qui non è possibile lavorare part-time   *(finire)* _____ prima. (b)
3. Se non ti sbrighi   *(potere)* _____ sempre cercarne un altro! (c)
4. Se mi aiuti anche tu a mettere in ordine   non lo *(aspettare)* _____ mai più! (d)
5. Se non mi risponde a casa   *(perdere)* _____ il treno. (e)
6. Se il lavoro non ti piacerà   lo *(chiamare)* _____ sul cellulare. (f)

14 Preposizioni - *Fra/tra, da, in, per*
Completa le frasi con le preposizioni fra/tra, da, in, per.

1. Esco dall'ufficio _____ un'ora.
2. Lavoro in quest'azienda _____ 3 mesi.
3. _____ 10 minuti comincia la riunione.
4. Ho lavorato come babysitter _____ due anni.
5. In macchina arrivo in ufficio _____ mezz'ora, con i mezzi ci metto il doppio.
6. Lavoro _____ stamattina presto e sono distrutta.
7. Il mio posto di lavoro è a dieci chilometri _____ casa.
8. Se fate silenzio, riesco a finire il lavoro _____ soli cinque minuti.

Progetti futuri

2

Che dovrei fare secondo te?

1 Lessico - Il cibo

Inserisci le parole nello schema al numero corrispondente. Se le risposte sono esatte, la caselle scure danno un nuovo vocabolo che significa "cibo".

Soluzione: ▢▢▢▢▢▢▢▢

1. Se non ho tempo faccio un _____ veloce.
2. La torta, i biscotti e il tiramisù sono dei _____.
3. Chi non mangia carne è un _____.
4. Gli studenti universitari mangiano quasi sempre alla _____.
5. Il riso è un _____.
6. A pranzo mangio al ristorante, a _____ invece a casa.
7. Quando ho poca fame _____ il pasto.
8. Io ho un _____ per il gelato. Mi piace da morire!

2 Servire

Completa il dialogo con i verbi della lista. I verbi non sono in ordine.

metto	dovremmo	ti serve	mi servono	hai bisogno	ti serviva	volevo	ho rotte	mi serve

● Senti, _____ della macchina stamattina?

◆ No, non _____, perché?

● Beh, prima di tutto il frigo è vuoto e _____ assolutamente fare la spesa, e poi _____ passare dal nuovo centro commerciale. Anzi se vuoi venire anche tu ...

◆ No, guarda, oggi ho tante di quelle cose da fare!

● Va beh, ho capito ...

◆ Dai, io qui intanto _____ un po' in ordine.

● Hm, va bene. Senti, _____ qualcosa?

◆ No no, grazie! Oh, anzi sì, dei salatini, un po' di patatine e ... due bottiglie di vodka. Ah, e poi _____ anche dei piatti di plastica e delle tazze nuove perché le _____ quasi tutte!

● Salatini, patatine, piatti e tazze .... per fortuna che non _____ niente!

3 Servire

*Completa le frasi con **servire**, coniugato al **presente indicativo**, e con il pronome adatto.*

1. Signora, _____ _____ ancora qualcos'altro?
2. Oggi piove, _____ _____ l'ombrello, altrimenti ti bagni tutto.
3. Non capisco questi vocaboli. _____ _____ il vocabolario.
4. Non abbiamo finito, _____ _____ ancora alcune ore.
5. Le diete non _____ _____ a niente, se non le seguite.
6. _____ _____ altri integratori alimentari. Devo tornare in farmacia.

7. Guarda che non _____ _____ a niente saltare i pasti!
8. I tuoi consigli non _____ _____ , grazie!
9. Quanta farina avete detto che _____ _____ ?
10. Oggi cucino io! Per fare il dolce, _____ _____ ancora due uova.

4 Combinazione

Abbina a ogni disegno il consiglio opportuno.

a. b. c. d. e. f.

1. Dovrebbe stare più attento al traffico!
2. Dovrebbe scegliere un albergo!
3. Ogni tanto dovrebbe arrivare puntuale!

4. Non dovrebbe chiamare così tardi!
5. Non dovrebbe uscire senza ombrello!
6. Dovrebbe essere meno irascibile!

5 Imperativo informale singolare

Trasforma le frasi dell'esercizio 4 all'imperativo informale singolare.

1. _____
2. _____
3. _____

4. _____
5. _____
6. _____

6 Imperativo + pronomi

Rispondi alle domande come nell'esempio. Fa' attenzione ai pronomi.

Es: A chi devo dare i libri?   **Dalli** a Fabiana.

1. Dove devo fare la spesa?   _____ al mercato!
2. Come faccio il pollo?   _____ con il limone!
3. Con chi vado al cinema?   _____ con Luisa!
4. A chi devo dare la lettera?   _____ al direttore!
5. Come vado a casa ora?   _____ a piedi!
6. A chi altro devo dire della festa?   _____ anche ai tuoi colleghi!

7 Condizionale

Trasforma le frasi dell'esercizio 6 al condizionale semplice. Fa' attenzione ai pronomi!

Es: A chi devo dare i libri?   **Dovresti darli** a Fabiana!   **Li dovresti dare** a Fabiana!

1. Dove devo fare la spesa? _____ al mercato! _____ al mercato!
2. Come faccio il pollo? _____ con il limone! _____ con il limone!
3. Con chi vado al cinema? _____ con Luisa! _____ con Luisa!
4. A chi devo dare la lettera? _____ al direttore! _____ al direttore!
5. Come vado a casa ora? _____ a piedi! _____ a piedi!
6. A chi altro devo dire della festa? _____ anche ai tuoi colleghi!
_____ anche ai tuoi colleghi!

8 Imperativo informale singolare

Completa questo testo all'imperativo, come nell'esempio.

1. (*Cercare*) **Cerca** di non saltare mai i pasti. Così non ti butti, affamato, su tutti i cibi che vedi.
2. (*Mangiare*) _____ regolarmente a orari precisi.
3. Nel corso della giornata, ogni tanto, (*fare*) _____ una pausa: (*guardare*) _____ una rivista, (*dare*) _____ acqua ai fiori, (*telefonare*) _____ a un'amica.
4. (*Andare*) _____ a camminare un po' ogni giorno. Anche 15 minuti di passeggiata aiutano a ridurre lo stress e a farti sentire meglio con te stesso.
5. Quando mangi, (*provare*) _____ ad apprezzare l'aspetto, il colore, la consistenza del cibo. Chi usa tutti i sensi durante il pasto ha più capacità di controllare quel che mangia.
6. (*Evitare*) _____ il panino davanti al computer. Quando mangi, (*mangiare*) _____ e basta. Possibilmente seduto a una tavola ben apparecchiata, anche se sei solo.
7. (*Masticare*) _____ bene e lentamente. Non ci riesci? Ecco come fare. Tra un boccone e l'altro, (*mettere*) _____ giù la forchetta.
8. Se trascorri molte ore in casa, (*tenere*) _____ il cibo lontano dalla tua vista.
9. (*Scrivere*) _____ un diario giornaliero di tutto quello che mangi, anche fuori pasto.

9 Imperativo + pronomi

Trasforma le abitudini alimentari in consigli. Usa l'imperativo informale singolare ed i pronomi necessari.

Per una corretta alimentazione **io**:   Anche **tu**:

Compro prodotti freschi.   *Comprali!*

Compro frutta e verdura biologiche.   _____

Faccio la spesa nei piccoli negozi.   _____

Spengo la TV mentre mangio.   _____

Mi tratto bene anche quando mangio da   _____
solo.
                                                           _____
Leggo le etichette.
                                                           _____
Cerco ricette tradizionali.
                                                           _____
Scelgo prodotti locali.

10 Decalogo dello studente

Completa le frasi con l'imperativo informale singolare dei verbi. Attenzione! Se è necessario usa la forma negativa.

Es: (*Seguire*) **Segui** i consigli degli insegnanti!

1. (*parlare*) _____ durante le lezioni!
2. (*copiare*) _____ durante gli esami!
3. Se non capisci (*chiedere*) _____!

4. *(fare)* _____ sempre gli esercizi a casa!

5. *(scrivere)* _____ in modo chiaro!

6. *(studiare)* _____ ogni giorno!

7. *(dormire)* _____ in classe!

8. *(dare)*_____ fastidio agli altri studenti!

9. *(mangiare)*_____ durante le lezioni!

11 Imperativo + pronomi

Rispondi alle domande come nell'esempio. Fa' attenzione ai pronomi.

Es: Ti chiamo oggi pomeriggio o stasera?   *Chiamami* oggi pomeriggio!

1. Lo chiamo o gli scrivo una mail?   _____ una mail!

2. Ti aspetto al bar o davanti al cinema?   _____ al bar!

3. Il prosciutto lo prendo cotto o crudo?   _____ crudo!

4. La torta la preparo adesso o più tardi?   _____ adesso!

5. I biglietti li compri tu o io?   _____ tu!

6. Le compro una pianta o dei fiori?   _____ dei fiori!

7. Mi porto il cappotto o la giacca?   _____ la giacca!

12 Imperativo + pronomi

*Completa le frasi all'**imperativo informale singolare**, come nell'esempio.*

Es: Posso aprire la porta?   *Sì, certo, aprila!*   *No, non aprirla!*

1. Posso invitare Marco?   _____   _____

2. Porto anche le foto?   _____   _____

3. Devo chiudere la finestra?   _____   _____

4. Faccio un altro caffè?   _____   _____

5. Posso spegnere la radio?   _____   _____

6. Posso prendere il tuo ombrello?   _____   _____

7. Devo andare in centro?   _____   _____

13 Imperativo + pronomi

*Completa le frasi con il verbo all'**imperativo informale singolare** e, se necessario, con i pronomi.*

1. Se fai sempre tardi al lavoro, *(alzarsi)* _____ prima la mattina!

2. Se non ti piacciono gli spaghetti al ragù, *(fare)* _____ al pesto!

3. Se non vuoi aspettarmi a casa, *(aspettare)* _____ in pizzeria!

4. *(Sbrigarsi)* _____ , se non vuoi perdere il treno!

5. Noi stasera siamo a casa. Se vuoi, *(venire)* _____ a trovarci!

6. La prossima volta che compri le arance, *(scegliere)* _____ meno mature!

14 Imperativo informale singolare

*Dai dei consigli usando i seguenti verbi all'**imperativo informale singolare**. Quando è necessario, usa la forma negativa.*

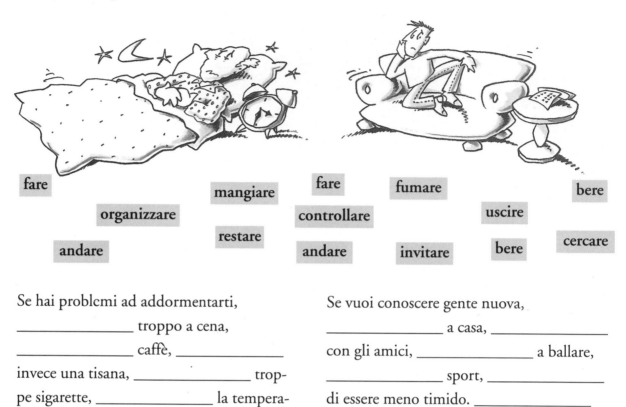

fare		mangiare		fare	fumare		bere
organizzare			controllare		uscire	
andare	restare		andare	invitare	bere	cercare

Se hai problemi ad addormentarti,

_____ troppo a cena,

_____ caffè, _____

invece una tisana, _____ trop-

pe sigarette, _____ la tempera-

tura della camera da letto, _____

una doccia calda e _____ a

letto sempre alla stessa ora.

Se vuoi conoscere gente nuova,

_____ a casa, _____

con gli amici, _____ a ballare,

_____ sport, _____

di essere meno timido. _____

delle feste o _____

semplicemente gente a casa tua.

15 Imperativo informale singolare

*Collega le frasi e coniuga i verbi all'**imperativo informale singolare**. Quando è necessario, usa la forma negativa.*

1. Se nell'ultimo periodo hai esagerato con il cibo
2. Se hai voglia di conoscere nuovi sapori
3. Se devi lavorare nel pomeriggio
4. Se vuoi evitare cibi grassi
5. Se ti piacciono i prodotti tipici e le specialità locali
6. Se vuoi dimagrire

a. *(cucinare)* _____ secondo ricette tradizionali.
b. *(assaggiare)* _____ cibi etnici.
c. *(consumare)* **consuma** molta verdura.
d. *(mangiare)* _____ spesso al fast-food.
e. *(evitare)* _____ di mangiare molto a pranzo.
f. *(bere)* _____ molto vino o birra.

16 Lettura

Leggi il testo e scegli se le frasi in fondo sono vere o false.

Come eravamo e come siamo: quanto sono cambiati gli italiani a tavola nel giro di venti anni? Se fino a ieri al mattino si beveva solo un caffè nero e via, poi un pranzo abbondante e con la classica "fettina", per concludere la giornata con cena leggera ma non troppo e un bicchiere di vino, oggi iniziamo spesso la giornata con cereali e yogurt, quello di mezzogiorno è solo uno spuntino, la sera siamo a cena fuori, magari in un ristorante etnico, e apprezziamo molto anche il pesce e la birra.

Ma più esattamente, in che cosa è cambiato il modo di mangiare degli italiani? Da una parte siamo diventati più attenti a quello che mangiamo: mangiamo più pesce, beviamo meno alcol, consumiamo più verdura; dall'altra però, usiamo più spesso cibi veloci come snack o merendine.

Ma uno dei cambiamenti più interessanti è forse la maggiore importanza attribuita dagli italiani alla prima colazione e la comparsa di prodotti prima sconosciuti alle tavole italiane, come yogurt e cereali. Oggi, tra gli adulti che lavorano, solo l'8,5% salta completamente la prima colazione e appena il 21,7% beve soltanto un caffè.

I consumi alimentari sono diventati anche più diversificati. Ad esempio, il settore dei "pasti fuori casa". Secondo dati recenti il 33% circa dei soldi spesi per i consumi alimentari è stato appunto speso per i pasti fuori casa. E se la pizzeria resta un classico e i fast-food sono in crescita, il fenomeno forse più interessante è il boom del cibo etnico. Tra i cibi preferiti quello cinese (l'84% dei ristoranti etnici sono cinesi) seguito da quello messicano.

L'altro grande cambiamento è il trionfo della dieta mediterranea e della cucina regionale.

Nelle abitudini odierne degli italiani possono così convivere l'acqua minerale e il buon vino, la pasta aglio e olio e le tortillas messicane.

(adattato da "L'Ambiente Cucina")

	VERO	FALSO
Di solito per colazione la maggior parte degli italiani beve solo un caffè espresso.	☐	☐
Attualmente in Italia il pranzo è il pasto più ricco della giornata.	☐	☐
Ultimamente è aumentato il consumo di carne.	☐	☐
È molto diffusa l'abitudine di mangiare fuori casa.	☐	☐
Il cibo messicano è il cibo etnico preferito dagli italiani.	☐	☐

Mens sana...

1 Lessico - Il corpo
Scrivi accanto all'immagine la parte del corpo corrispondente.

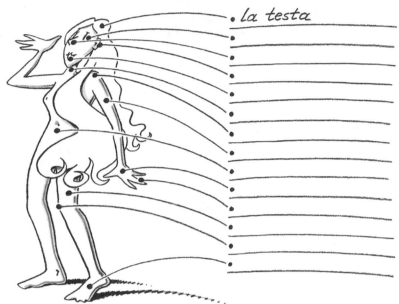

• la testa

2 Lessico - Il corpo
Completa con le parti del corpo.

Abbiamo due _b_ _ _ _ _ _ _ _ (più o meno forti), due _g_ _ _ _ _ _, due _p_ _ _ _ _ _
(misura media per le donne italiane: 37), due _m_ _ _ _ con dieci _d_ _ _ _ _ e (quasi sempre)
32 _d_ _ _ _ _ _. Abbiamo due _o_ _ _ _ _, (più o meno blu) e due _o r_ _ _ _ _ _ _ _ _.
Abbiamo anche una _t_ _ _ _ _ _ (che spesso non usiamo) sopra il _c_ _ _ _ _ _. Se mangiamo troppo abbiamo pure la _p_ _ _ _ _ _.
La _b_ _ _ _ _ ci serve per parlare e il _n_ _ _ _ per sentire gli odori.

Soluzione: Chi usa prevalentemente la mano sinistra è un ☐☐☐☐☐☐☐☐.

3 Lessico - Salute
Associa il problema con il medico adeguato, come nell'esempio.

1. Ho mal di denti!   ortopedico (a)
2. Il bambino ha la febbre alta!   dermatologo (b)
3. Non riesco a leggere da vicino!   otorino (c)
4. Mi sono slogato una caviglia!   cardiologo (d)
5. Sai che Marta aspetta un bambino?   dentista (e)
6. Mio padre deve subire un intervento al cuore.   oculista (f)
7. Da bambino sono stato operato di tonsille.   pediatra (g)
8. Hai delle strane macchie sulla pelle!   ginecologo (h)

4 Lessico - Salute

Completa le frasi con le parole della lista. Le parole non sono in ordine.

mal di pancia   stress   mal di schiena   irritazione alla pelle

allergia al polline   raffreddore   mal di denti

1. Se ho _____ vado dal dentista.
2. Se ho un'_____ non sto sempre al sole.
3. Se ho l' _____ evito di andare in campagna in primavera.
4. Se ho _____ mangio in bianco.
5. Se ho un problema di _____ riposo di più e lavoro di meno.
6. Se ho il _____ vado in farmacia.
7. Se ho _____ non sollevo borse pesanti.

5 Imperativo formale

*Completa le frasi seguenti dando il consiglio giusto. Seguendo l'esempio coniuga i verbi all'**imperativo formale**. Quando è necessario, usa la forma negativa.*

leggere un libro   mangiare cose pesanti   fare yoga   ordinare una pizza

fare un po' di sport   chiamare qualche amico   stare troppo tempo al sole

~~riposarsi~~   prendere un'aspirina

Es: Se è stanco, *si riposi*!

1. Se non ha voglia di guardare la TV, _____!
2. Se non ha voglia di cucinare, _____!
3. Se vuole tenersi in forma, _____!
4. Se ha una pelle delicata, _____!
5. Se si sente solo, _____!
6. Se vuole rilassarsi, _____!
7. Se è raffreddato, _____!
8. Se ha problemi con la pancia _____!

6 Riscrittura

*Riscrivi il testo all'**imperativo formale** (da Voi a Lei).*

Ecco alcune regole da seguire quando si vuole praticare uno sport:

1. Scegliete lo sport in base all'età, alla costituzione fisica e ai vostri gusti.

2. Prima di cominciare fate un controllo medico.

3. Cominciate lentamente e se vi sentite stanchi fermatevi, lo sport dovrebbe essere un piacere e non una tortura.

4. Non andate a fare sport a stomaco vuoto, potrebbe essere pericoloso.

5. Bevete molta acqua e non aspettate la sete, bevete sia durante l'attività fisica che dopo.

6. Durante l'esercizio fisico evitate abiti troppo pesanti e abiti in plastica.

7. Non sottovalutate l'importanza delle scarpe da ginnastica. Compratele adatte al tipo di sport che avete scelto.

1. ***Scelga*** *lo sport in base all'età, alla costituzione fisica e ai **suoi** gusti.*

....
....
....
....
....
....
....
....
....
....
....
....
....

7 Imperativo

*Completa la tabella con l'**imperativo**. Aiutati con le frasi dell'esercizio 4.*

Problema	Tu	Voi	Lei
Mal di denti	*Vai dal dentista!*	*Andate dal dentista!*	*Vada dal dentista!*
Irritazione alla pelle			
Allergia al polline			
Mal di pancia			
Stress			
Raffreddore			
Mal di schiena			

Mens sana...

4

8 Pronomi combinati

Completa la tabella.

	+ *lo*	+ *la*	+ *li*	+ *le*	+ *ne*
mi	me lo				
ti		te la			
gli/le/Le			glieli		
ci				ce le	
vi					ve ne
gli	glielo				

9 Pronomi combinati

Forma delle frasi.

1. Quelle scarpe mi sembrano un po' grandi. Non
2. I libri d'arte? Un attimo, signora,
3. È vero che compri una macchina nuova? Allora,
4. Cosa?? I miei CD? No, non
5. Devi rispettare le regole. Io
6. Sai che ho rivisto Roberto? Forse
7. Sapevate che abbiamo comprato una macchina nuova? Forse

me la
te l'
te li
te le
te ne
glieli
ve l'

ho sempre detto! (a)

venderesti quella vecchia? (b)

voglio prestare. (c)

avevo già parlato? (d)

vuoi provare? (e)

avevamo già detto? (f)

faccio vedere subito! (g)

10 Pronomi combinati

*Completa con i **pronomi** (combinati o non).*

Caro Oscar, non hai ancora risposto alla mia mail. Non hai acceso il computer? Volevo solo dir____ che domani non _____ posso riportare il vocabolario di francese perché _____ ho dato a un'amica. So che non si prestano le cose degli altri (_____ hai ripetuto mille volte) e _____ vergogno un po', ma lei _____ ha chiesto (_____ serviva per una traduzione importante) e io non ho saputo dir____ di no. _____ ha promesso però di riportar_____ fra due giorni. Spero che tu non ti arrabbi. Un'altra cosa. Ricorda____ che domani arriveranno Ida e Franca e temo che uno di noi due dovrà ospitar____ . Non è che _____ andrebbe di tener____ a casa tua? Io in questi giorni sono superimpegnata!

Grazie, ciao, Susi.

11 *Meglio, migliore, benissimo, ottimo*
*Completa il dialogo con **meglio**, **migliore**, **benissimo** o **ottimo** opportunamente declinati.*

1. ■ Senti, che ne dici di invitare Sandra e Paolo sabato sera?
   ▼ Sì, mi sembra un'_____ idea!
2. ■ Allora, ti è piaciuto il pranzo?
   ▼ Sì, ti ringrazio, era veramente tutto _____ !
3. ■ Secondo me è _____ andare in macchina.
   ▼ Per me va _____ , però guidi tu!
4. ■ Hai visto com'è dimagrita Laura?
   ▼ Sì, l'ho incontrata un paio di giorni fa. Sta veramente _____ adesso.
5. ■ Il Barolo è sicuramente un _____ vino.
   ▼ Sì, ma io preferisco il Chianti. Per me è un vino _____ del Barolo.

12 *Bene, meglio, benissimo, buono, migliore, ottimo*
*Completa con **bene**, **meglio**, **benissimo**, **buono**, **migliore**, **ottimo**, opportunamente declinati. Se le frasi sono esatte le caselle scure danno un proverbio italiano.*

1. La Juve ha giocato _____ , ma ha vinto l'altra squadra, che ha giocato _____ .
2. Il professor Sala insegna molto _____ . È l'insegnante _____ che abbiamo!
3. Quando fa molto caldo bevo volentieri una limonata perché è un' _____ bibita.
4. _____ questa bistecca, ma la cotoletta di ieri era _____ !
5. Frequento un corso di nuoto perché fa _____ , anzi _____ !
6. Ho cucinato una pasta e fagioli _____ di quella che si mangia al ristorante!
7. L'omeopatia fa _____ , ma secondo me la medicina tradizionale fa _____ .
8. Il prezzo era davvero _____ , ma la qualità non era così _____ !

Soluzione: Il _____ è nemico del _____ . Significa che non bisogna esagerare a voler fare tutto in modo troppo perfetto.

13 Lessico - La spirale
Nella spirale trovi 20 parole di questa lezione (scritte di seguito). Le lettere rimaste lette nell'ordine danno il nome di uno sport, sinonimo di basket.

S	T	O	M	A	C	O	P	A	S	C	H	I
O	M	E	D	I	C	O	A	C	D	E	N	E
I	I	A	E	P	L	A	S	T	I	C	T	N
D	C	I	O	F	I	S	I	C	O	A	I	A
U	N	Z	T	A	O	N	U	O	R	A	S	L
T	A	I	S	F	R	E	D	T	C	B	T	A
S	P	C	I	F		D	O	O	I	A	L	
A	N	R	L	A	E	R	O	S	N	T	B	L
T	A	E	C	R	O	E	T	E	T	O	O	E
S	I	S	I	C	O	L	L	O	R	S	C	R
I	C	E	T	S	A	R	D	A	U	Q	C	G
L	C	A	R	B	A	O	T	T	E	P	A	I
U	C	O	A	N	I	C	I	D	E	M	L	A

14 Riscrittura

*Riscrivi il testo seguente all'*imperativo informale plurale *(da Lei a Voi).*

LEI

Buongiorno!

In questo momento ha ricevuto un permesso di soggiorno che Le permette di lavorare in Italia.

Abbiamo pensato quindi di informarLa sui servizi che lo Stato Italiano mette a Sua disposizione nel caso si trovasse in particolari momenti critici durante il lavoro.

INCIDENTE SUL LAVORO

Ogni volta che si fa male in occasione di lavoro:

- Vada al Pronto Soccorso o si rivolga al medico curante che Le rilascia il primo certificato medico.
- Consegni una copia al Suo Datore di Lavoro che, una volta avvisato del Suo infortunio, farà la denuncia all'INAIL entro 48 ore.
- Sappia che nel periodo di infortunio non può lavorare in quanto rischia di perdere l'indennità di infortunio.

MALATTIA

Si ricordi che è Suo diritto avere la tessera sanitaria e un medico curante.

In caso di malattia:

- Vada dal Suo medico per farsi rilasciare il certificato di malattia.
- Spedisca all'INPS una parte del certificato compilato e firmato.
- Avverta il Suo datore di lavoro del periodo di assenza dal lavoro.
- Se alla fine dei giorni concessi sta ancora male, ritorni dal Suo medico per prolungare il periodo di malattia.
- Si ricordi che quando è in malattia deve rimanere in casa – dalle 10.00 alle 12.00 e dalle 17.00 alle 19.00 – presso l'indirizzo che ha in Italia e ha indicato sul certificato.

VOI

Buongiorno!

In questo momento avete ricevuto un permesso di soggiorno che Vi permette di lavorare in Italia.

Abbiamo pensato quindi di informarVi sui servizi che lo Stato Italiano mette a Vostra disposizione nel caso vi trovaste in particolari momenti critici durante il lavoro.

INCIDENTE SUL LAVORO

....
....
....
....
....
....
....
....
....
....
....

MALATTIA

....
....
....
....
....
....
....
....
....
....
....
....
....
....

Mens sana....

4

Test 1

1 Pronomi diretti, indiretti e riflessivi
..../12

*Completa il testo con i **pronomi diretti, indiretti** o **riflessivi**.*

Mentre pensava a lei sorrideva. _____ aveva conosciuta in chat pochi giorni prima. E non _____ aveva mai vista, neanche in foto. Non aveva la minima idea di come fosse fatta. Di lei conosceva soltanto nick e nome; niente cognome. Non sapeva neanche che voce avesse. Una volta, dopo aver chattato, _____ erano scambiati i numeri di cellulare e gli indirizzi di posta elettronica, e adesso, oltre a chattare, _____ scambiavano brevi messaggi sul cellulare e via e-mail; però non _____ erano mai sentiti per telefono. Tuttavia, lei _____ piaceva. Tutto quello che conosceva di lei – le parole che lei scriveva – _____ intrigava davvero tanto.
Ieri ha chiuso la chat verso le cinque e mezza. Lui è restato collegato altri venti minuti, durante i quali non è successo proprio nulla. Alle sei _____ è scollegato ed è andato in palestra. Quando è uscito, fuori era già sceso il buio, e a illuminare Roma c'era solo la luce dei lampioni. Ha acceso il cellulare. Meno di trenta secondi dopo è arrivato un messaggio. _____ ha aperto. Era di mezz'ora prima. _____ ha letto. Era lei. Quello che aveva scritto era a dir poco preoccupante, e lui ha deciso di chiamar_____. Quindi, ha fatto qualcosa che non aveva mai fatto prima: ha cercato il suo numero in rubrica e _____ ha chiamata. Lei ha risposto dopo tre squilli.

(www.grinzane.it)

2 Passato prossimo e imperfetto
..../24*

*Completa il testo coniugando i verbi al **passato prossimo** o all'**imperfetto**.*

Marina racconta il suo primo amore:
"Mi *(fissare)* _____ negli occhi per un attimo. Non so bene cosa *(io-vedere)* _____, ma *(io-rimanere)* _____ "folgorata". Quello sguardo *(nascondere)* _____ un uomo solo e triste, ma giovane dentro.
Prima non *(credere)* _____ nel colpo di fulmine ma *(essere)* _____ proprio quello che mi stava accadendo. Nel giro di pochi giorni *(accorgersi)* _____ che non *(potere)* _____ fare a meno di pensare a lui: me ne ero innamorata.
Gli *(scrivere)* _____ una prima lettera al computer, firmandomi con un nome di fantasia per non farmi riconoscere. L'ho messa in una busta colorata e l'ho depositata nella sua buca delle lettere. *(Abitare)* _____ da solo ma *(essere)* _____ tutto il giorno fuori casa per lavoro. Le finestre del suo appartamento *(essere)* _____ quasi tutte chiuse dalle tapparelle. Le uniche da cui *(entrare)* _____ la luce *(essere)* _____ quelle della cucina e del bagno. Le altre venivano aperte una volta alla settimana, dalla donna delle pulizie."

(http://it.geocities.com/)

*1 punto per ogni imperfetto giusto (tot. 9), 3 punti per ogni passato prossimo giusto (1 punto per ogni ausiliare e 2 punti per ogni participio - forma e concordanza - tot. 15).

3 Futuro semplice
..../6

*Completa il testo coniugando i verbi al **futuro semplice**.*

Il surriscaldamento globale *(portare)* _____ serie conseguenze per tutti, compresa l'economia italiana. A una simile fosca previsione era già giunta alcuni mesi fa una ricerca condotta dalla ricercatrice italiana, Claudia Tebaldi, e collaboratori del National Center for Atmospheric Research.
Verso il 2050 le nazioni del Nord Europa *(avere)* _____ benefici dall'aumento delle temperature, ma le regioni del Mediterraneo *(dovere)* _____ combattere con la mancanza di acqua e la diminuzione dei turisti. Secondo i ricercatori, che *(diffondere)* _____

i risultati dell'indagine nelle prossime settimane, il mare del Nord (*diventare*) _____ più caldo e i flussi turistici dal nord verso il sud, circa 100 milioni di persone all'anno, pari a 100 miliardi di euro, (*rallentare*) _____ con drammatiche conseguenze per le economie di Spagna, Grecia e Italia.

(www.corriere.it)

4 **Imperativo informale / Imperativo formale** (..../45*)
*Completa la tabella con l'**imperativo** ed i **pronomi** necessari.*

Per una sana abbronzatura IO:	Anche TU:	Anche VOI:	Anche LEI:
idrato la pelle con creme ed oli;	*Idratala!*	*Idratatela!*	*La idrati!*
non uso deodoranti, profumi o cosmetici che contengono sostanze alcoliche;			
scelgo il fattore di protezione più adatto alla mia pelle;			
applico la protezione trenta minuti circa prima dell'esposizione al sole;			
evito le ore più calde;			
non mi abbronzo rapidamente.			

*1 punto per ogni imperativo giusto (tot. 15), 1 punto per ogni pronome giusto (tot. 15),
1 punto per ogni pronome inserito nella posizione giusta (tot. 15).

5 **Pronomi semplici e combinati** (..../8)
*Leggi il testo e scegli il **pronome** corretto.*

Mai come in questo periodo il cibo è un argomento tanto discusso. Non passa giorno che non *si/lo/mi* parli di quello che è il carburante dell'organismo umano. E in effetti la nostra salute dipende molto dallo stile di vita e dall'alimentazione che seguiamo. Noi, figli del benessere, abbiamo perso alcune corrette abitudini alimentari, aiutati in questo dalla pubblicità che *ci/le/si* porta a consumare cibi confezionati, pieni di additivi e conservanti, perché *ce li/li ce/ve lo* rende tanto "attraenti". La soluzione però non sta nell'eliminare dalla propria dieta tutti gli alimenti "sconsigliati" quanto, come in tutte le cose, nel non abusarne. E già, perché poi le conseguenze di una alimentazione scorretta *si/le/ti* vedono e *ce le/se le/me le* portiamo addosso come un abito scomodo. Insomma, senza far diventare il cibo un'ossessione, dobbiamo però *dargli/darlo/darmi* più attenzione, magari cominciando dal *metterci/metterli/metterla* ai fornelli: c'è più gusto a mangiare qualcosa fatto *da loro/da noi/da lui*. E cucinare, se non è un obbligo, è anche divertente.

(www.tumangiabene.it)

6 **Comparativi e superlativi irregolari** (..../5)
Leggi il testo e scegli la parola corretta.

Le Medicine Naturali o alternative fanno *meglio/bene/migliore* e possono dare *male/bene/ottimi* risultati senza causare effetti collaterali. Per Medicine Naturali o Alternative intendiamo tutto un insieme di metodi non convenzionali che affrontano i problemi riguardanti la salute e il benessere psicofisico, oggi sempre più ritenuti complementari alla medicina occidentale convenzionale. Sebbene alcune di queste tecniche abbiano ottenuto *ottimo/buoni/benissimo* riconoscimenti e approvazione da parte dei medici tradizionali e del grande pubblico, molte altre sono ancora viste con sospetto e in alcuni casi messe in *male/migliore/cattiva* luce da parte della classe medica ufficiale. Quando si è stanchi della medicina che ci è stata insegnata e non si è ottenuta la guarigione, l'idea *buona/meglio/migliore* è rivolgersi alla Medicina così detta Naturale o Alternativa.

(www.tuttogratis.it)

Do you speak Italian?

1 Dialogo scombinato
Riordina il dialogo. Le frasi 1-6 sono nell'ordine esatto.

1. Senti, Stefan, toglimi una curiosità, ma tu quanto tempo ci hai messo a imparare l'italiano?

2. Ma l'hai imparato qui o avevi già fatto dei corsi?

3. Pazzesco! Io sono tre anni che faccio corsi d'inglese e ancora non lo parlo!

4. Sì, però dovrei parlarlo molto meglio dopo tutti i corsi che ho fatto

5. Sai, il problema è che alcune regole di grammatica proprio non mi entrano in testa!

6. Sì, è vero ... è perché ho paura di sbagliare.

a. Mah, dipende ...

b. Vabbe', dai! Un po' lo parli! E poi non puoi fare il confronto con me. Prima di trasferirmi io ero già stato altre volte in Italia, e poi, scusa, io dopotutto vivo qui!

c. Sì, però se pensi sempre agli errori non parlerai mai. Anch'io all'inizio mi vergognavo perché facevo un sacco di errori, poi però ...

d. Mah, non lo so ... due anni direi ...

e. Beh, sì, quando sono arrivato in Italia avevo già fatto un corso. Ad Amsterdam, prima di partire, avevo frequentato una scuola di lingue, ma solo per un paio di mesi ...

f. Beh, forse è proprio questo il punto. Pensi troppo alla grammatica e poi ti blocchi.

1/___ ; 2/___ ; 3/___ ; 4/___ ; 5/___ ; 6/___ .

2 Combinazione
Forma delle frasi collegando le parti di sinistra con quelle di destra.

1. Finalmente ho letto quel libro — aveva promesso ai bambini di stare con loro. (a)
2. Purtroppo quando le ha telefonato → che mi avevi consigliato. (b)
3. Andrea non è venuto perché — l'insegnante aveva appena finito la lezione. (c)
4. Hai già visto il film — che avevo conosciuto all'università. (d)
5. Che sfortuna! Quando sono arrivato alla stazione — il treno era appena partito! (e)
6. Ieri ho incontrato un ragazzo — di cui avevamo parlato in vacanza? (f)
7. Quando sono entrati in classe — era appena uscita. (g)

3 Lessico - Università

Inserisci nel testo le parole della lista. Le parole non sono in ordine.

corso	capire	pazienza	studenti	semestri	lingua
tempo	esame	anno	pazienza	italiano	Erasmus

Franz, studente di fisica
Erasmus a Como - autunno 2002

Mi chiamo Franz, ho 24 anni e studio fisica ad Augsburg. Dopo il mio "Vordiplom" (un _____ intermedio che si fa dopo 4 _____), sono andato nell' autunno 2002 a Como per fare l' _____ per un _____.

All'inizio era molto difficile parlare e _____ l'italiano (avevo studiato _____ solo l'anno prima), ma il _____ d'italiano (di 40 ore) che è stato organizzato dall'università mi ha aiutato molto. Dopo 2 mesi i grandi problemi con la _____ erano passati, anche grazie all'aiuto degli altri _____ che hanno avuto una _____ grandissima con me. In generale si deve dire che gli italiani hanno sempre _____ quando vedono che qualcuno sta provando a parlare la loro lingua.

La lingua dei corsi era l'italiano, ma era molto facile capire perché ci si doveva concentrare solo su una persona che stava parlando. La disponibilità dei docenti era buona, non avevo mai problemi per parlare con un professore perché avevano sempre _____ per me.

4 Riscrittura

Riscrivi il racconto di Giulia alla terza persona singolare.

Giulia, studentessa di lingue
Erasmus a Friburgo - 2004-2005

Sono partita all'inizio di settembre ed ero molto contenta, desideravo questo viaggio da anni. Andare via significava mettermi alla prova in una situazione totalmente diversa dal solito. Da studentessa di lingue avevo deciso di eliminare qualsiasi contatto con la lingua italiana. La Albert-Ludwigs-Universität di Friburgo è molto grande, ma purtroppo s'incontrano moltissimi ragazzi provenienti dall'Italia. Dall'Italia mi ero già trovata un appartamento con una ragazza tedesca, in modo da essere costretta a parlare tedesco in ogni situazione, e poi ho cercato di inserirmi in diversi corsi, da quello teatrale al coro dell'università a quello di balli latino-americani.

è partita...

5 Trapassato prossimo

*Completa le frasi con i verbi al **trapassato prossimo**, come nell'esempio. I verbi non sono in ordine.*

| arrangiarsi | essere | ~~fare~~ | leggere | mangiare | prendere | uscire | vedere |

1. Quando Mary è arrivata qui, parlava bene l'italiano perché **aveva** già **fatto** dei corsi.
2. Non era la prima volta che andavano all'estero. _____ già _____ in Brasile l'anno prima.
3. Aveva gli occhi tutti rossi, perché _____ _____ a lungo.
4. Prima di andare dal medico, Luca _____ già _____ diverse medicine, ma inutilmente.
5. Oggi ho incontrato Giuseppe, ma l'_____ già _____ lunedì scorso.
6. Non l'ho trovata in casa. _____ già _____ alle 8.
7. Guido non ha voluto prendere niente. _____ già _____ a casa sua.
8. Non c'è stato bisogno di aiutarli. _____ già _____ da soli.

6 Presente, imperfetto, futuro semplice, passato prossimo e trapassato prossimo

*Completa con il **presente, imperfetto, futuro semplice, passato prossimo e trapassato prossimo**.*

Napoli, 1 aprile. In via Verdi una o più persone hanno svaligiato la gioielleria "Ori di Napoli" di F. C., famoso commerciante della città. Una coppia, che ieri notte *(stare)* _____ tornando a casa da una festa con amici, *(accorgersi)* _____ del fatto e *(chiamare)* _____ il 113. Probabilmente il ladro *(entrare)* _____ nel negozio già nella notte di sabato – almeno questo *(essere)* _____ quanto *(supporre)* _____ la polizia arrivata lì subito dopo la telefonata. I poliziotti *(interrogare)* _____ i due testimoni, ma questi *(potere)* _____ ripetere solo quello che *(dire)* _____ già _____.
«*(Essere)* _____ le 2 di mattina di domenica e *(stare)* _____ passando per via Verdi. La vetrina del negozio era già rotta e probabilmente gli svaligiatori *(uscire)* _____ già _____, perché non *(sentire)* _____ nessun rumore.»
F. C., che in questi giorni non *(trovarsi)* _____ a Napoli ed *(essere)*_____ in giro per un viaggio di lavoro, al suo ritorno *(avere)* _____ proprio una bella sorpresa!

7 Trapassato prossimo

*Completa le frasi con i verbi al **trapassato prossimo**. I verbi non sono in ordine.*

| seguire | essere | parlare | uscire | arrangiarsi | cominciare |

1. Non sono principiante. _____ già _____ un corso in autunno.
2. Quando sono arrivata a teatro il concerto _____ appena _____.
3. Volevo aiutarla a tradurre, ma _____ già _____ da sola.
4. Perché vuoi discuterne ancora? *(Noi)* non ne _____ già _____ ieri?
5. Quando siamo arrivati in classe l'insegnante _____ appena_____.
6. Prima di quest'estate Clara e Ada _____ già _____ in Giappone.

8 Presente, imperfetto, passato prossimo o trapassato prossimo?

*Completa le frasi con i verbi al **presente**, all'**imperfetto**, al **passato prossimo** o al **trapassato prossimo**.*

- Allora, com'è andata a Mantova?
- ▼ Beh, guarda, anche se era la quarta volta che io e Piero ci *(andare)* _____ ,
  l'*(trovare)* _____ bellissima. Ma stavolta non *(noi - fermarsi)* _____
  a Palazzo Ducale, ormai lo *(conoscere)* _____ bene perché l' *(visitare)*
  _____ già _____ lo scorso anno.
- Va bene, ma secondo me la Reggia dei Gonzaga *(restare)* _____ sempre una
  delle più interessanti d'Europa, con quelle splendide opere del Mantegna …
- ▼ Sì, ma *(esserci)* _____ una folla pazzesca di turisti dopo il ponte di San Giorgio,
  quindi *(decidere)* _____ di proseguire in macchina e cercare un parcheggio in un
  posto di periferia.
- E allora cosa *(voi - fare)* _____ , se *(evitare)* _____ di entrare in
  città?
- ▼ *(Entrare)* _____ nel Palazzo del Te, che le altre volte non *(potere)* _____
  visitare perché *(essere)* _____ sempre chiuso. *(Esserci)* _____ una
  mostra di oggetti antichi così ricca che *(trascorrere)* _____ lì tutta la giornata!

9 Imperfetto, passato prossimo o trapassato prossimo?

Riscrivi il racconto usando i tempi passati.

Ho diciannove anni. Per la prima volta vado in vacanza fuori dall'Italia. Sono eccitato all'idea di andare in un posto che non conosco affatto, senza ancora nessun programma definito. Andiamo in un'agenzia a comprare due biglietti Venezia-Pireo, passaggio di solo ponte, e uno per la mia moto. Abbiamo fatto brevi preparativi, abbiamo messo da parte le poche cose che vogliamo portare e ci siamo divertiti a decidere la nostra meta. Ho ancora la piccola tenda canadese della mia vacanza con Roberta, ma Guido dice che non serve. È la prima volta in vita mia che faccio un viaggio all'estero, pensarci mi riempie di agitazione.

(da Andrea De Carlo, "Due di Due", Einaudi, 1999)

Avevo diciannove anni. Per la prima volta…

10 Cui + preposizione

*Completa le frasi con la **preposizione** corretta come nell'esempio.*

Es: Leggete testi *in* cui la lingua sia usata in maniera naturale.

1. Trascrivete le frasi _____ cui non capite esattamente il significato e chiedete poi all'insegnante.
2. Vi siete mai trovati in situazioni _____ cui non siete riusciti a dire nemmeno una parola in italiano?
3. Quello è il ragazzo _____ cui ti ho parlato ieri.
4. La discoteca è un luogo _____ cui è semplice fare nuove conoscenze.
5. La famiglia _____ cui ha lavorato per anni si è trasferita in Francia.
6. Ti presento gli amici _____ cui sono stata in Giappone.
7. Secondo te è un posto di lavoro _____ cui è necessaria la laurea?
8. Porsi degli obiettivi chiari e realistici, seguire il proprio ritmo è uno dei metodi _____ cui si possono fare dei progressi nell'apprendimento delle lingue straniere.

11 Pronomi relativi

*Completa i brani seguenti utilizzando i **pronomi relativi** indicati.*

in cui	che	in cui	che	con cui	che	chi	su cui	in cui	che

1. Non dimentichiamo che l'Europa è un posto ideale per imparare le lingue, affollata com'è di comunità linguistiche e di culture _____ vivono l'una accanto all'altra.
2. Pianificate il vostro studio linguistico in maniera adeguata a voi e al modo _____ è organizzata la vostra giornata. Così studiare sarà più facile.
3. Studiare in gruppo può essere divertente, potete trovare dei partner _____ studiare al di fuori dei corsi.
4. La maggior parte dei centri urbani possiede enti di istruzione per adulti _____ offrono corsi di lingue. Spesso le autorità locali e le Camere di commercio organizzano corsi o almeno sanno _____ li offre.
5. Leggere e ascoltare molto è importante. Più ascolterete, meglio parlerete. Leggere aiuterà a scrivere meglio. Leggete e ascoltate testi _____ la lingua sia usata in maniera naturale (giornali, TV, radio). Ricordate che per capire il succo del discorso non bisogna capire ogni singola parola.
6. Controllate i vostri progressi. Ritornate su temi _____ avete già lavorato. Vi sembrano più facili?
7. Se andate in un paese _____ si parla la lingua _____ studiate, ma le persone vi si rivolgono nella vostra lingua o in inglese, spiegate che preferite parlare la loro lingua.
8. Memorizzate le frasi _____ vi serviranno più spesso – incontrando persone, facendo shopping, ecc.

12 *Che o cui + preposizione?*

*Completa le frasi con i **pronomi relativi**.*

1. Questa è la macchina _____ abbiamo comprato. Ti piace?
2. È quello il ragazzo _____ abita Marisa?
3. Preferisco la pizza _____ abbiamo mangiato nell'altra pizzeria.
4. Mara è una persona _____ penso spesso.
5. La camera _____ ci hanno dato non ci piace molto.
6. Signor Franceschini, questo è il ragazzo _____ Le ho parlato.
7. Alessandra è l'amica _____ scrivo più spesso.
8. È lo stesso campeggio _____ siamo stati noi l'anno scorso.

13 Pronomi relativi

*Unisci le frasi sostituendo con un **pronome relativo** l'elemento ripetuto, come nell'esempio.*

Es: Hanno alloggiato in un albergo. L'albergo era vicino alla stazione.
L'albergo ***in cui*** hanno alloggiato era vicino alla stazione.

1. Ho comprato una macchina di seconda mano. La macchina è in buone condizioni.
2. Gli studenti hanno frequentato un corso. Nel corso hanno studiato la lingua e la cultura italiana.
3. Mi avete consigliato un ristorante. Il ristorante è molto caro.
4. Si è trasferito in un appartamento. Nell'appartamento abita una mia amica.
5. La segretaria vi ha dato un indirizzo. L'indirizzo era sbagliato.
6. Hanno pubblicato un libro. Il libro è tradotto in molte lingue.

14 Pronomi relativi

*Usa i **pronomi relativi** della lista e completa le frasi. Segui l'esempio.*

che	di cui	a cui	in cui	per cui	con cui	da cui

Es: Urbino è una città ***in cui mi piacerebbe vivere.***

1. Il telefonino è un oggetto _____
2. Il cinema è un posto _____
3. Arrivare tardi a teatro è un comportamento _____
4. La pausa è un momento _____
5. Disturbare durante una lezione è una cosa _____
6. Addormentarsi sul divano è un'abitudine _____
7. La mia insegnante è una persona _____

Vivere in città

1 **Lessico - Di che città si parla?**

Leggi le descrizioni di queste tre città italiane e prova a indovinare di che città si parla.

La città dotta, la "grassa", nasconde fra i suoi portici e all'ombra delle sue torri il mistero del suo fascino. Scopriamolo durante la visita dei suoi palazzi che ci raccontano di una storia molto antica, fra i suoi musei e le sue opere d'arte, che svelano una ricchezza secolare, la sua gastronomia tanto apprezzata in tutto il mondo. Giovane, vivace e universitaria, _____ ci presenta il suo volto esuberante e colto allo stesso tempo.

Città magica per eccellenza _____ si presenta come un affascinante labirinto di calli e canali, un gioco di terra e di acqua da cui lasciarsi catturare per scoprirne gli eleganti palazzi e le imponenti chiese, il fascino del Canal Grande e del Ponte di Rialto, la ricchezza dei musei e lo splendore delle sue opere d'arte, fra cui i sapori della cucina della laguna.

Luogo di divinità, Ciclopi, navigatori e artisti, _____ è ancora oggi uno dei punti di riferimento della cultura e della tradizione mediterranea. Questa città ospitale e solare, e contemporaneamente fiera e barocca, si presenta al turista con la sua affascinante ricchezza cromatica e architettonica, con la sua varietà paesaggistica, circondata com'è dall'Etna e dallo splendido mare siciliano.

(da: www.discoveritalia.it)

2 **Lessico - Dove abitano queste persone?**

Individua le regioni di cui si parla nelle frasi. Poi, consultando la cartina dell'Italia dietro la copertina del Textbook, controlla se hai risposto correttamente.

1. Abito nell'unica regione del Centro che non tocca il mare. _____
2. La mia regione è molto piccola e confina con la Francia. _____
3. Sono nata in una regione che è anche un'isola molto vicina alla Calabria. _____
4. Da una delle mie finestre posso vedere il Vesuvio e da un'altra la costa ed il mare. _____
5. Abito nella regione chiamata il «tacco dello Stivale». _____
6. Vivo in una regione dell'Italia settentrionale in cui si trova la più antica università europea. _____
7. Nella mia regione si trova la capitale d'Italia. _____
8. Il capoluogo della mia regione è considerato la città del lavoro e della moda, del traffico e della nebbia. _____

3 Lessico - Divieto di...

A ogni divieto corrispondono due frasi. Se gli abbinamenti saranno esatti le lettere nei riquadri blu, lette consecutivamente, daranno il nome di un nuovo divieto.

a. Possibile che sia sempre così difficile parcheggiare da queste parti? (TR)
b. Non trovo giusto dover lasciare sempre fuori il cane! (NS)
c. D'accordo, darò fastidio, però a volte devo proprio chiamare per lavoro! (T)
d. Non sarebbe sufficiente tenerlo al guinzaglio? (I)
e. Ho dovuto pagare ben 68,25 euro per una sosta vietata! (A)
f. Ma dai! Usarlo qui in ospedale mi sembra proprio fuori luogo! (O)

Soluzione: In quella zona c'è divieto di (1)☐☐ (1)☐☐ (2)☐☐ (2)☐ (3)☐ (3)☐___
Significa che non si può transitare, cioè passare.

4 Lessico - Come diciamo con altre parole?

Nel dialogo 5 della Lezione 6 appaiono le seguenti frasi. Collega le espressioni <u>sottolineate</u> a sinistra con l'equivalente espressione della colonna di destra.

1. Mi <u>darebbe una mano</u>?   si deve (a)
2. Era così <u>comodo</u>!   invece di (b)
3. Così <u>mi tocca</u> andare a piedi. non ci sono (c)
4. <u>Bisogna</u> far la gimcana.   pratico (d)
5. <u>Anziché</u> costruire una banca … devo (e)
6. In effetti gli asili <u>mancano</u>! **aiuterebbe (f)**

5 Lessico - Riecco i nostri vecchietti

Completa il testo, che è un riassunto del brano apparso nella Lezione 6, e decidi quale parola manca.

Due vecchietti avevano deciso __1__ attraversare una strada, per raggiungere un giardino pubblico con un __2__ laghetto. Ma c'era molto __3__, perché era l'ora di punta, ed i due non __4__ ad attraversare. __5__ cercarono un semaforo, ma c'erano macchine anche sulle strisce pedonali e Aldo e Alberto (questi i __6__ nomi), anche se molto magri, non riuscivano proprio a passare. Pensarono, dunque, di riprovare __7__ tutti erano fermi, ma non ce la fecero __8__ questa volta. Così ad Aldo venne l'idea di sdraiarsi in mezzo __9__ strada facendo finta di essere morto per permettere almeno all'amico di attraversare. Ma prima passò una macchina che lo mandò __10__ e poi una moto che lo riportò al punto di partenza.

1. (a) a   (b) in   (c) di
2. (a) bell'   (b) bel   (c) bello
3. (a) traffico   (b) auto   (c) flusso
4. (a) riuscivano   (b) potevano   (c) tentavano
5. (a) Mentre   (b) Allora   (c) Quando
6. (a) suoi   (b) suo   (c) loro
7. (a) quando   (b) quindi   (c) se
8. (a) nemmeno   (b) anche   (c) mai
9. (a) alla   (b) della   (c) per
10. (a) d'altra parte (b) dall'altra parte (c) da quella parte

6 Condizionale passato - Ma purtroppo...

*Ricostruisci le frasi e completale con i verbi al **condizionale passato** come nell'esempio.*

~~andare~~	accompagnare	piacere	volere	dovere	prendere in affitto

1. Io **sarei andato** volentieri a teatro, ——— ma purtroppo la mia macchina si è rotta! (a)

2. Carlo _____ pagare la bolletta del telefono, ——→ ma purtroppo non c'erano più biglietti. (b)

3. A mia madre _____ andare in vacanza, e invece hanno trovato solo due singole. (c)

4. Noi _____ quella casa al mare, purtroppo però se ne era dimenticato. (d)

5. Ugo e Ada _____ una matrimoniale purtroppo mio padre aveva troppo da fare. (e)

6. Signora, io L' _____ volentieri, ma era troppo cara. (f)

7 Condizionale passato - Sogni non realizzati

La mia amica Silvia stava per sposare un miliardario che però l'ha lasciata per un'altra. E così i suoi sogni non si sono realizzati. Ora di cosa si lamenta?
*Completa il testo con i verbi al **condizionale passato**. I verbi non sono in ordine.*

andare	avere	comprare	dovere	guadagnare

investire	mettere	pensare	regalare	usare	vedere

Sai, innanzitutto a casa non _____ fare niente perché logicamente _____ una donna per le faccende domestiche e di sicuro anche una cuoca e un giardiniere. Io e John _____ in giro per il mondo e con il suo yacht _____ tutte le isole dei Caraibi. Poi, pensando al mio futuro, io _____ una certa cifra in case ed un'altra in banca. Ma non _____ solo a me stessa. Lui mi _____ a disposizione molti soldi che _____ per fare un sacco di regali a tutti. Certo, mi _____ una Porsche e dei bei vestiti, ma a Linda _____ un monolocale sul Garda, a Daniela i mobili per la casa e a Giovanna un biglietto aereo per la Sicilia. Insomma, non ci _____ solo io, ma anche le mie amiche!

8 Condizionale passato - Il gioco dei se

*Completa il testo, già apparso nella Lezione 6, con i verbi al **condizionale presente o passato**.*

Il mio errore è stato, in quel luglio del 1997, non andare a Berlino. Allora (*fare*) _____ ancora _____ in tempo. [...]
Non ho rischiato. Non ho voluto rischiare. Che cosa (*succedere*) _____ se invece...?
(*Essere*) _____, ora, berlinese da otto anni? (*Integrarsi*) _____ davvero _____ in quella città che, undici anni fa, mi faceva gioire e soffrire allo stesso tempo?

Chi mi dice che non (*rimpiangere*) _____ di non essere tornato in Italia? Certo è che, non (*trovare*) _____ mai _____ il lavoro che ho ancora adesso; non (*cominciare*) _____ mai _____ a tradurre - e non (*avere*) _____ il piccolo capitale di una quindicina di libri tradotti e pubblicati -; non (*conoscere*) _____ mai nemmeno _____ M.S., con il quale sono comunque stato più di cinque anni; non (*comprare*) _____ la casa in cui abito - e che m'incatenerà ancora per altri sette anni con il mutuo da saldare -; non (*aprire*) _____ forse _____ questo weblog su cui sto scrivendo ora - e grazie al quale ho conosciuto qualche persona che è diventata importante per me -; (*essere*) _____ più in buona salute - forse, ma non (*giurarci*) _____. Non è troppo tardi, mi dico a volte, per cambiare. È troppo tardi, mi dico altre volte, per cambiare radicalmente. Più il tempo passa, più tutto diventa difficile.

9 **Condizionale passato - Anziché...**
Completate le frasi con il **condizionale passato**, *come nell'esempio.*

> *Es:* Anziché costruire una banca, *(loro - potere)* _____ fare un bel parco.
> Anziché costruire una banca, *avrebbero potuto* fare un bel parco.

1. Anziché seguire una dieta, (*io - dovere*) _____ fare un po' di ginnastica.
2. Anziché investire tanti soldi in banca, (*potere*) _____ comprarci una villa.
3. Anziché trascorrere la domenica a casa, (*tu - potere*) _____ uscire con me.
4. Anziché passare subito all'offensiva, (*loro - dovere*) _____ difendersi.
5. Anziché fare la figura da stupidi, (*voi - dovere*) _____ reagire.
6. Anziché lavorare tutto il giorno, (*preferire*) _____ starsene tranquilla a casa.

10 **Passato remoto - Una città italiana**
Sottolinea le forme del **passato remoto** *e scrivi l'infinito del verbo corrispondente, come nell'esempio.*

Ai giorni nostri **X**, capoluogo di provincia nell'estremo Ovest della Sicilia, è una città moderna quasi interamente ricostruita dopo la II Guerra Mondiale, ma il centro storico, con i suoi palazzi e monumenti, ci ricorda il suo ricco passato. Il più importante edificio cittadino è il santuario dell'Annunziata, costruito nel XIV secolo e ristrutturato nel XVIII: nelle varie cappelle si possono vedere diversi oggetti preziosi e numerose opere d'arte, fra le quali va ricordata una Madonna molto bella attribuita a Nino Pisano. Nell'ex convento del santuario ha sede un museo nazionale che offre ai visitatori vari reperti archeologici e alcuni quadri di artisti famosi. Nell'antichità **X**, conosciuta con il nome di Drepana, **fu** un grande porto militare cartaginese. Nel 249 a. C., dopo una battaglia navale contro i Romani, Cartagine arrivò ad avere il dominio sul Mediterraneo. Nel 241 i comandanti Caio Lutazio Catulo e Quinto Valerio Faltone vicino alle isole Egadi conquistarono più di 100 navi, fecero più di 10.000 prigionieri e così guidarono alla vittoria la flotta romana. Dopo questa grandiosa battaglia, che mise fine alla guerra, **X** dipese amministrativamente da Roma.

fu = essere , _____

_____

_____

Guarda ora la cartina dell'Italia e segna di quale città parliamo.
☐Messina   ☐Agrigento   ☐Trapani

11 Passato remoto

Ecco una lettera di Cinzia, la mia amica toscana.

> *Carissima Livia,*
> *sono felice di sapere che la tua famiglia sta bene. Pure a casa mia è tutto OK, anche se adesso che ho due bambini e non mi posso muovere, ricordo con particolare nostalgia i tempi in cui passavo le vacanze da te. Ricordi quell'inverno che andammo a fare il giro di tutti i passi dolomitici? C'era Raffaella con noi e passammo una settimana in macchina tra le montagne dell'Alto Adige. Fu davvero una vacanza ricca di natura e paesaggi! Tu avevi la gamba rotta e guidai sempre io. Che stanchezza ogni sera! E poi l'ultimo giorno nevicò così tanto che dovemmo evitare alcune zone dove c'era troppa neve. Facemmo quasi tremila chilometri in quel periodo, ma non avemmo mai sfortuna e la sera si tornava sempre a dormire a casa tua, sane e salve. Quella settimana mangiammo quasi solo panini, ma bevemmo diverse grappe per scaldarci ...*
> *Ti ricordi che freddo faceva? Quelli sì che erano bei tempi! Torneranno?*
>
> *Un bacione, tua Cinzia.*

Come l'avrebbe scritta Daniela, la mia amica di Milano?
Osserva l'esempio e completa la lettera.

   (…) Ricordi quell'inverno che **siamo andate** a fare il giro di tutti i passi dolomitici?

12 Passato remoto

*Qui appaiono alcune forme (in parte a te sconosciute!) al **passato remoto**.*
Inseriscile nella colonna corrispondente e completa poi la tabella.

| venne | diede | ebbi | vedeste | prendemmo | chiedesti |
| fece | dicemmo | vissero | fu | ottenne | vinse | scrisse |

	io	tu	lui, lei, Lei	noi	voi	loro
avere						
chiedere						
dare						
dire						
essere						
fare						
ottenere						
prendere						
scrivere						
vedere						
venire						
vincere						
vivere						

Ora completa la regola:

Le forme della (prima? seconda? terza?) _____ persona singolare e della _____ e _____ persona plurale sono sempre regolari.

Tutti i verbi irregolari hanno l'accento sulla (ultima? penultima? terz'ultima?) _____ sillaba. Solo la (prima? seconda? terza?) _____ persona (singolare? plurale?) _____ ha l'accento sulla terz'ultima sillaba.

Trascrivi ora la coniugazione di un verbo irregolare e segna con un puntino la vocale su cui cade l'accento: rispondere: rispọsi, _____ , _____ , _____ , _____ , _____ .

13 Personaggi famosi

*Completa con il **passato remoto** e scopri di quali personaggi stiamo parlando.*

1. Donna famosa per la sua bellezza, *(fare)* _____ innamorare di sé molti uomini fra cui Cesare da cui *(avere)* _____ un figlio e Antonio a cui ne *(dare)* _____ tre. *(Vivere)* _____ in Egitto prima di Cristo.

2. Questo personaggio, nato nel 1928, *(iniziare)* _____ nel 1953 a prendere parte a trasmissioni radiofoniche dove *(presentare)* _____ proprie canzoni in dialetto siciliano. *(Vincere)* _____ due volte il Festival di Sanremo (nel 1958 con "Nel blu, dipinto di blu" - più nota con il titolo "Volare" e nel 1959 con "Piove"). *(Partecipare)* _____ a vari film e più tardi *(diventare)* _____ presentatore televisivo.

3. Questa grandissima cantante lirica *(essere)* _____ molto famosa, ma non *(avere)* _____ una vita felice. *(Sposare)* _____ un italiano, ma *(innamorarsi)* _____ del greco Aristotele Onassis. Nel 1964 *(lasciare)* _____ il teatro. *(Morire)* _____ a Parigi 13 anni dopo.

4. Questo famoso scienziato italiano *(studiare)* _____ il fenomeno dell'elettromagnetismo. Prima *(trasferirsi)* _____ in Inghilterra e poi *(andare)* _____ negli Stati Uniti dove *(vivere)* _____ a lungo. *(Inventare)* _____ la radio e per questo nel 1909 *(ottenere)* _____ il Nobel per la fisica.

Test 2

1 Indicativo - Passato e trapassato prossimo ..../16

*Completa le frasi coniugando i verbi al **passato prossimo** o al **trapassato prossimo**. Ogni frase contiene un verbo al passato prossimo ed uno al trapassato prossimo.*

La scorsa estate (*andare*) _____ in Svezia con l'Erasmus. Tante volte in passato (*sentire*) _____ dire ad altri studenti a proposito dell'Erasmus: "È un'esperienza che ti cambia!" All'epoca non (*riuscire*) _____ a capire fino in fondo il significato di quelle parole, solo dopo aver vissuto quel breve periodo fuori dall'Italia (*capire*) _____ cosa intendessero. Prima di allora non (*andare*) _____ mai _____ all'estero ed (*essere*) _____ per me un'esperienza indimenticabile.
Poco prima di partire per la Svezia una ragazza che (*tornare*) _____ da poco _____ dall'Erasmus, con le lacrime agli occhi, mi (*raccontare*) _____ la sua indimenticabile esperienza in Spagna. Lei (*rimanere*) _____ a Madrid per sei mesi e (*decidere*) _____ poi in seguito di tornarci.
Ciò che mi (*colpire*) _____ dei suoi racconti è il fatto che prima di partire non (*pensare*) _____ minimamente che questo soggiorno all'estero le avrebbe cambiato la vita. Solo adesso, che (*vivere*) _____ anch'io quest'incredibile esperienza, riesco a comprendere a pieno ciò che (*cercare*) _____ di dirmi.
Prima di partire per quest'avventura mi (*domandare*) _____ se anche a me sarebbe successa la stessa cosa, adesso che (*tornare*) _____ posso affermare che è vero: l'Erasmus è un'esperienza che ti cambia!

(adattato da: http://erasmus.indire.it)

2 Pronomi relativi ..../11

*Completa il testo con i **pronomi relativi** della lista.*

a cui	a cui	con cui	in cui	in cui	che	che	che	che	che	che

Sono stata sei mesi con l'Erasmus in Francia, ad Aix en Provence, ed è stata un'esperienza indimenticabile _____ consiglio a chiunque.
Aix è una cittadina _____ offre la possibilità di muoversi tranquillamente a piedi. Inoltre con i mezzi pubblici si raggiunge in un baleno Marsiglia, città assolutamente affascinante, _____ si fanno anche le spese ai prezzi più convenienti. Per non parlare delle altre città bellissime raggiungibili in poco tempo da Aix: Orange, Avignone e molte altre _____ meritano di essere visitate.
Ho avuto modo di conoscere studenti di ogni parte del mondo, _____ si crea subito un rapporto di solidarietà, data la comune situazione, e _____ ti ritrovi a raccontare la tua vita come se fossero amici di vecchia data.
L'università è piccola, quindi molto ben organizzata e vivibile. L'unico problema sono gli orari dei corsi _____ spesso cambiano senza preavviso (a volte lo si viene a sapere il giorno stesso presentandosi a lezione!).
Per chi non l'ha vissuta, quest'esperienza vuol dire solo divertimento, sbronze, università facile. È difficile riuscire a trasmettere agli altri le emozioni _____ hai dentro, riuscire a fargli capire cosa è stato "davvero" il tuo Erasmus. A questo proposito è emblematica la scena del film *L'appartamento spagnolo*, _____ lui torna a casa ed è in cucina con la madre _____ gli

dice "sei stato via un anno e non hai niente da dire?" e _____ lui risponde "appunto, sono stato via un anno, cosa vuoi che ti racconti?". È impossibile far capire a parole l'esperienza Erasmus a chi resta a casa!

(adattato da: www.spfo.unibo.it)

3 **Condizionale passato e indicativo passato prossimo** $\qquad$ (.../8)
*Completa il testo coniugando i verbi al **condizionale passato** e al **passato prossimo**.*

Di pit bull e di cani pericolosi si parla solo sulla scia di eventi di cronaca. In realtà si tratta di un "problema" che (*dovere*) _____ essere risolto già molti anni fa, quando vi (*essere*) _____ i primi casi di aggressioni. Il governo (*evitare*) _____ così _____ incidenti mortali tra cui quelli degli ultimi mesi (una bambina azzannata e due signore sbranate).
Per ora ben venga il decreto che vieta la detenzione di cani "potenzialmente pericolosi" a chi (*avere*) _____ guai giudiziari e che impone ai cani dichiarati mordaci l'obbligo di museruola. Ecco però cosa si potrebbe fare secondo l'associazione "Gaia Onlus" per evitare il ripetersi di tali tragedie. Il portavoce dell'associazione ci elenca una serie di provvedimenti che loro, al posto del Ministro della Sanità, (*intraprendere*) _____ già da tempo per garantire il benessere dei cani e la sicurezza dei cittadini:

● (*noi - vietare*) _____ l'allevamento ed il commercio dei pit bull e di altre razze di cani usati per la cosiddetta difesa, la guardia e l'attacco;
● (*noi - promulgare*) _____ una campagna di sterilizzazione dei pit bull in circolazione;
● (*noi - offrire*) _____ gratuitamente corsi di formazione per i proprietari dei cani potenzialmente pericolosi.

Infine, ribadiamo – continua il portavoce dell'associazione – che il problema non nasce dai cani ma da "padroni deficienti" che vedono ed usano il cane come uno strumento "da guardia", uno "status symbol" o un ripiego alla propria inettitudine. (adattato da: www.gaiaitalia.it)

4 **Passato remoto** $\qquad$ (.../15)
*Completa la biografia di Cristoforo Colombo, coniugando i verbi al **passato remoto**.*

Navigatore ed esploratore italiano. Nel 1470 (*cominciare*) _____ a navigare per commercio, e, nel 1486, (*stabilirsi*) _____ in Portogallo. Qui (*appassionarsi*) _____ a quello che era l'argomento più discusso nell'ambiente marinaro portoghese: trovare la via marittima più breve per raggiungere le Indie.
Nel 1492 dunque, dopo due tentativi falliti, i reali di Spagna (*approvare*) _____ il suo progetto, nominandolo ammiraglio delle tre caravelle allestite per lui: Pinta, Niña, S. Maria. Il 3 agosto Cristoforo Colombo ed il suo equipaggio (*partire*) _____ da Palos, sbarcando soltanto dopo 36 giorni sull'isola di Guanahani (nell'arcipelago delle Bahamas), battezzata, da Cristoforo Colombo, San Salvador.
Egli (*scoprire*) _____ in seguito Cuba, che (*credere*) _____ essere la Cina; poi Haiti, dove (*stabilirsi*) _____ formando una piccola colonia.
Tornato in Spagna, (*organizzare*) _____ un'altra spedizione con 17 navi, durante la quale (*scoprire*) _____ le Antille e la Giamaica, senza però trovare le ricchezze da lui immaginate.
Nel suo quarto viaggio (*costeggiare*) _____ l'America Centrale dall'Honduras alla Colombia, e qui (*avere*) _____ il primo contatto con gli indigeni civili, pur convinto di trovarsi in Asia.
Ormai stanco, (*tornare*) _____ in Giamaica, dove (*rimanere*) _____ per 10 mesi, per poi tornare in Spagna nel 1504. Nel 1506 (*spegnersi*) _____ nell'indifferenza generale.

(adattato da: www.italiadonna.it)

Luoghi comuni

1 Congiuntivo presente
Completa le risposte come nell'esempio.

Es: Secondo te la nuova segretaria è americana? No, credo che **sia** irlandese.

1. Ma a che ora arrivano i ragazzi?   Mah, credo che _____ verso le sette.
2. Sai se Luca è a casa?   No, credo che _____ ancora in ufficio.
3. Il vino lo dobbiamo portare noi?   No, penso che lo _____ loro.
4. Sai se ci sono ancora i saldi?   No, penso che non _____ più.
5. Questa radio funziona?   Sì, penso che _____ ancora.
6. Quanto tempo ci vuole?   Mah, credo che _____ tre ore.
7. Ma quante macchine hanno Sonia e Piero?   Credo che ne _____ due.

2 Congiuntivo presente
Trasforma le affermazioni in supposizioni, come nell'esempio.

Es: L'appartamento non ha un balcone.   >   **Mi sembra che** l'appartamento non **abbia** un balcone.

1. Si trasferisce per vivere accanto alle sorelle.   Credo che _____ .
2. Insegna ancora in quella scuola.   Suppongo che _____ .
3. Vogliono andare a vivere in campagna.   Mi sembra che _____ .
4. La casa è su due livelli.   Credo che _____ .
5. L'agenzia fa dei controlli.   Suppongo che _____ .

3 Congiuntivo o indicativo?
Completa il dialogo coniugando i verbi al modo e al tempo opportuni.

■ Dove *(essere)* _____ questo pomeriggio?

▼ Mah... ho fatto un giro dalle parti di mia nonna, vicino al fiume. *(Fermarsi)* _____ a fotografare una casa con una scala antica molto ripida che porta all'entrata.

■ Ah, quella che *(dare)* _____ sul canale?

▼ Sì, quella, veramente fantastica! Penso che *(essere)* _____ la casa più bella della città. Figurati che *(suonare)* _____ il campanello per chiedere se per caso era in vendita.

■ Ma scherzi? Spero che tu non *(volere)* _____ comprarla!

▼ Ma no! Ho detto solo che ero interessato a una casa in quella zona. Così dall'ingresso ho dato uno sguardo veloce all'appartamento. Proprio elegante, silenzioso, insomma ... per i miei gusti.

■ Ma per te, scusa, non è fondamentale che un'abitazione *(avere)* _____ tutte le comodità? Non credo che una casa antica le *(potere)* _____ avere!

▼ Sì certo, ma guarda che *(stare)* _____ parlando di una casa che non *(comprare)*_____ mai ...!

4 Congiuntivo presente

*Completa i testi con il **congiuntivo presente** dei verbi.*

1. Milena e Sandro stanno cercando casa. Per loro è importante che l'appartamento *(essere)*
   _____ in una zona tranquilla con molto verde e che da quelle parti *(esserci)*
   _____ dei negozi e una scuola.
2. Per Delia, che ama tantissimo cucinare, è fondamentale che l'appartamento *(avere)*
   _____ una cucina grande.
3. Ernesto suona il pianoforte. Per lui la cosa più importante è che i vicini non *(lamentarsi)*
   _____ .
4. La signora Valeri cerca un appartamento per sé e i suoi tre gatti. Per lei è necessario che
   (esserci) _____ un balcone e che i vicini *(amare)* _____ gli animali!

5 Congiuntivo passato

*Collega le frasi e coniuga i verbi al **congiuntivo passato**. Quando è necessario, usa i pronomi.*

1. Dove sono andati? Mah, penso che
2. La benzina devi farla tu, perché non penso che
3. Sì, puoi chiamarlo, anche se non credo che
4. Non lo so dove l'ha trovata, ma credo che
5. No, non credo che stiano ancora insieme, penso che
6. È da tanto che non incontro i nostri vicini, credo che

a. *(comprare)* _____ nella nuova boutique.
b. *(cambiare)* _____ casa.
c. *(lasciarsi)* _____ un mese fa.
d. *(uscire)* *siano usciti* con i loro amici.
e. *(arrivare)* _____ già a casa.
f. *(fare)* _____ tuo padre.

6 Congiuntivo presente e passato

*Completa ogni frase con un **congiuntivo presente** e uno **passato**.*

1. Penso che Piero *(trasferirsi)* _____ di nuovo e che nella sua vita *(cambiare)*
   _____ casa almeno altre quattro volte.
2. Credo che *(loro - usare)* _____ abitualmente la macchina per andare al lavoro, ma
   che stamattina ci *(andare)* _____ a piedi.
3. Ritengo che Elisa *(essere)* _____ sempre _____ una persona in gamba e che lo
   _____ ancora.
4. Sono convinto che adesso non *(loro - avere)* _____ voglia di lavorare ma che non
   l'_____ neanche in passato.
5. L'importante è che la macchina a mio marito non *(costare)* _____ un patrimonio
   al momento dell'acquisto e che a me non _____ troppo mantenerla.

7 Congiuntivo presente e passato
Completa le frasi secondo l'esempio.

> *Es:* Una tua collega stranamente non è venuta in ufficio e non ha neanche telefonato, tu dici:
> Può darsi che *sia malata.*
> Ho paura che *le sia successo qualcosa.*

1. Insieme a un amico aspetti che arrivino gli altri studenti. Il tuo amico si preoccupa, tu dici:
Può darsi che _____
Ho paura che _____

2. È da un po' di tempo che non vedi i tuoi vicini di casa. Le finestre sono chiuse da un po', tu pensi:
Può darsi che _____
Ho paura che _____

3. La tua nuova collega di lavoro è sempre silenziosa e un po' misteriosa, ne parli con gli altri e dici:
Può darsi che _____
Ho paura che _____

4. La tua macchina improvvisamente non parte, pensi:
Può darsi che _____
Ho paura che _____

8 Congiuntivo o indicativo?
Completa i minidialoghi con 3 possibili risposte usando i seguenti verbi al modo e al tempo opportuni. I verbi non sono in ordine.

arrivare	avere	volere	capire	costare	essere	fare	studiare	uscire	volere	avere	essere

1. Secondo te perché non vengono con noi al ristorante?
   a. Forse in questo periodo _____ al verde.
   b. Per me non _____ soldi.
   c. Credo che in questo periodo non _____ spendere.

2. Franca non c'è?
   a. Penso che _____ un altro impegno.
   b. Credo che _____ fuori città.
   c. Per me _____ più tardi.

3. Perché cambia casa?
   a. Suppongo che lo _____ perché adesso ha due bambini.
   b. Penso che _____ andare a vivere da solo.
   c. Mi sembra che quella nuova gli _____ meno.

4. Ma secondo te perché ha tutte quelle difficoltà a scuola?
   a. Penso che _____ troppo la sera.
   b. Credo che _____ poco di quello che gli dicono gli insegnanti.
   c. Suppongo che _____ troppo poco.

9 Congiuntivo presente o passato
Elimina il tempo sbagliato.

1. Penso che per l'acquisto dei beni alimentari molta gente *(sia disposta – ~~sia stata disposta~~)* a spendere molto. L'importante è, infatti, che si *(abbia – abbia avuto)* la garanzia di consumare prodotti di qualità.

2. Credo che ormai il computer *(sia – sia stato)* un bene di consumo assolutamente necessario. Certo, può darsi che *(ci siano – ci siano state)* persone contrarie al suo uso, ma sono dell'opinione che certe categorie – come giornalisti, studenti, insegnanti ecc. – non ne *(possano – abbiano potuto)* fare a meno per il proprio lavoro.

3. Ho paura che mio figlio *(abbia – abbia avuto)* un incidente. Infatti è già due ore che l'aspetto! Oppure può darsi semplicemente che – come al solito – *(rimanga – sia rimasto)* senza benzina.

4. È proprio indispensabile che tutti *(abbiano – abbiano avuto)* un cellulare? Mi pare che questa del telefonino in Italia, con il passare degli anni, *(diventi – sia diventata)* una vera mania.

5. Penso che *(sia – sia stato)* giusto spendere per abbigliamento e cosmetici. In fondo ognuno di noi deve curare il proprio aspetto fisico. Anche se trovo esagerato che ieri mia figlia *(spenda – abbia speso)* un patrimonio per dei jeans.

6. Credo che la mia amica, per le sue vacanze, la scorsa estate *(paghi – abbia pagato)* moltissimo.

10 Congiuntivo o indicativo?
Completa i dialoghi usando i verbi al modo e al tempo opportuni.

1. ■ Guarda che belle scarpe!
   ▼ Sì, sono belle, però non credo che *(essere)* _____ molto comode.

2. ■ Perché Marco non telefona più?
   ▼ Mah, credo che *(avere)* _____ molto da fare in ufficio.

3. ■ Che ne dici? Quest'anno per le vacanze facciamo uno scambio di case?
   ▼ Mah, non lo so, secondo me *(essere)* _____ un po' rischioso.

4. ■ Hai già telefonato per quell'appartamento?
   ▼ No, ancora no. Ma spero che *(essere)* _____ ancora libero.

5. ■ Secondo te ce la fa Massimo a passare l'esame?
   ▼ Mah, a me non sembra che *(fare)* _____ molto per riuscirci!

6. ■ Mi sembra strano che Luciana non *(essere)* _____ ancora qui. Sono già le otto!
   ▼ Sei sicuro che *(venire)* _____ ?

7. ■ Che dici, che tempo farà in Irlanda?
   ▼ Mah, in aprile penso che *(fare)* _____ ancora freddo!

11 Congiuntivo o indicativo?

Completa le frasi con i verbi al modo e al tempo opportuni.

1. ■ Ha comprato la macchina due anni fa?
   ▼ Sì, non so esattamente se sono due anni, ma comunque credo che l'_____ _____ non molto tempo fa.

2. ■ Quella Ferrari gli è costata un patrimonio?
   ▼ Eh sì, temo proprio che gli _____ _____ tantissimo.

3. ■ Hanno già trovato casa?
   ▼ No, penso che non l'_____ ancora _____.

4. ■ Chi le ha dato i soldi? I suoi?
   ▼ Sì, secondo me glieli _____ _____ loro.

5. ■ È già uscito dall'ufficio?
   ▼ Sì, credo che _____ _____ verso le 5.

6. ■ Ha già comprato la casa?
   ▼ Mah, può darsi che l'_____ _____ , ma non ne sono sicuro.

12 Congiuntivo o indicativo?

*Leggi il seguente articolo. Completane poi la sintesi con l'**indicativo** o il **congiuntivo**.*

La amiamo. Spendiamo diversi soldi per renderla bella e accogliente, ma la nostra casa può diventare anche molto pericolosa. Essa è, infatti, uno dei luoghi dove si verifica il maggior numero di incidenti quotidiani. Quello che capita tra le pareti domestiche riguarda soprattutto le persone che trascorrono più tempo nella loro abitazione: donne, anziani, ma anche bambini piccoli, per i quali questi incidenti rappresentano un grave rischio. Ma sono colpiti soprattutto gli anziani che cadono dalle scale o nel bagno. Per le donne è la cucina il luogo più pericoloso della casa. Qui, infatti, si tagliano spesso con coltelli o si fanno male con gli elettrodomestici. Per i bambini, poi, c'è il pericolo dei sacchetti di nylon ed è possibile che bevano liquidi o sostanze tossiche o che vengano a contatto con la fiamma del gas. L'incidente più frequente fra i piccoli è la caduta. Secondo recenti dati Istat le persone colpite da incidenti domestici sono state ben 3.672.000. È fondamentale dunque seguire alcuni consigli: 1° Controllare il gas, pericoloso perché è invisibile e inodore. 2° Far vedere periodicamente gli impianti della luce. 3° Fare attenzione in cucina e nel bagno (dove non si devono mai toccare apparecchiature elettriche in presenza di acqua o umidità).

Secondo l'autore dell'articolo noi _____ la nostra casa e _____ diversi soldi per renderla accogliente, ma aggiunge pure che essa _____ uno dei luoghi dove si verifica il maggior numero di incidenti quotidiani. Sembra che quello che capita tra le pareti domestiche _____ soprattutto donne, anziani e bambini piccoli. Pare che colpiti _____ soprattutto gli anziani. Sembra che per le donne _____ la cucina il luogo più pericoloso e che per i bambini _____ il pericolo dei sacchetti di nylon. È fondamentale, dunque, che si _____ alcuni consigli. È importante: 1° che si _____ il gas; 2° che si _____ vedere periodicamente gli impianti della luce; 3° che si _____ attenzione in cucina e nel bagno.

13 Pronomi e aggettivi indefiniti

Scegli l'espressione giusta.

Un recente studio ha confermato che **alcune/tutte/ogni** le persone che seguono la dieta mediterranea vivono più a lungo degli **altri/tutti/qualche** Europei. Che cos'è esattamente la dieta mediterranea?

È un insieme di **alcune/ogni/tanti** abitudini alimentari tradizionalmente seguite da **altri/tutti/ognuno** i popoli della regione mediterranea. Ci sono almeno 16 stati che si affacciano sul Mar Mediterraneo e **ogni/ognuno/qualche** ha le sue abitudini alimentari a seconda della cultura, delle tradizioni e della religione. Ma c'è **qualche/qualcosa/nessuna** caratteristica comune:

- un elevato consumo di frutta, verdura, patate, fagioli, noci, semi, pane e cereali
- uso dell'olio d'oliva per cucinare e per condire
- moderate quantità di pesce e poca carne
- moderato consumo di vino, di solito durante i pasti
- alimentazione basata su prodotti locali, freschi e di stagione

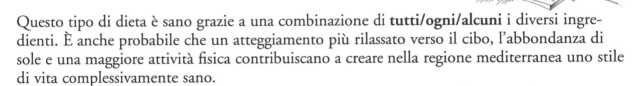

Questo tipo di dieta è sano grazie a una combinazione di **tutti/ogni/alcuni** i diversi ingredienti. È anche probabile che un atteggiamento più rilassato verso il cibo, l'abbondanza di sole e una maggiore attività fisica contribuiscano a creare nella regione mediterranea uno stile di vita complessivamente sano.

14 Pronomi e aggettivi indefiniti

*Completa le frasi scegliendo la forma corretta tra **alcuni/alcune/qualche**.*

1. _____ persone sono vittime dei pregiudizi.
2. _____ italiano non ama mangiare la pasta e la pizza.
3. _____ preferiscono mantenere le proprie abitudini.
4. _____ amano conoscere nuovi usi e tradizioni.
5. _____ straniero pensa che gli italiani siano pigri e disordinati.
6. _____ tradizioni sono condivise da differenti culture.
7. _____ stereotipo culturale ha una base di realtà.

15 Pronomi e aggettivi indefiniti

*Completa le frasi utilizzando i **pronomi** della lista. I pronomi non sono in ordine.*

ognuno	qualcuno	alcuni	ogni	niente	alcuni	ogni	qualcosa	tutti	qualche

1. _____ ha telefonato, ma non ha lasciato un messaggio.
2. _____ studenti sono tornati a casa prima.
3. _____ ha diritto di essere felice.
4. Dovete fare _____ per aiutarlo.
5. C'è ancora_____ stanza libera!
6. Ho comprato_____ libri per l'esame.
7. Dopo la festa non era rimasto _____ da bere.
8. È un libro molto popolare, ne parlano _____!
9. _____ studente deve scegliere un argomento per la sua tesi.
10. I bambini hanno bisogno di dormire otto ore _____ notte.

Parole, parole, parole...

1 Lessico - Inglese e italiano

*Alcune parole inglesi sono usate in italiano con un significato completamente differente da quello che hanno nella lingua originale. Completa il testo con le parole: **golf, relax, body, optional, smoking, slip, snob**. Attenzione! Alcune parole compaiono 2 volte.*

Da alcuni decenni sta crescendo (qualcuno direbbe che si sta inquinando) il patrimonio della lingua italiana, inglobando anglismi a tutto spiano. [...]

C'è però anche da dire che spesso noi siamo più inglesi degli inglesi. Usiamo falsi anglismi che nessun inglese si sognerebbe di usare: _____ per indicare un completo da sera molto elegante, per uomo; o _____, che in inglese significa soltanto "corpo" e in Italia invece indica un indumento che comprende reggiseno e mutande uniti; ancora, _____ che in inglese significa "sottoveste", mentre da noi indica le mutande; a Londra, inoltre, sarebbe meglio evitare di chiedere un _____ in un negozio di abbigliamento, perché quello che per noi è un maglione, in Inghilterra è soltanto uno sport. Siamo inoltre molto bravi, noi italiani, a cambiare il modo d'uso delle parole inglesi: _____ in inglese è soltanto un aggettivo e non un nome («ho comprato una macchina piena di _____»), mentre _____ in inglese è un nome e non un aggettivo («nel mio lavoro sono circondato da persone molto _____») e _____ è solo un verbo e non un nome («ho passato un weekend in pieno _____»).

(tratto da: Gian Luigi Beccarla, "Italiano antico e nuovo", ed. Garzanti, 2002)

2 Lessico - Parole straniere

Sostituisci al termine straniero quello corrispondente italiano. Se gli abbinamenti saranno esatti, le lettere scritte tra parentesi daranno, lette consecutivamente, una nuova parola.

malinteso (S) – fattoria (L) – sformato (O) – all'ultimo momento (E) – autorimessa (I) – lampada da comodino (T) – congelatore (F) – mazzo di fiori (E) – a pari merito (I) – di cattivo gusto (R) – giramondo (A)

1. Al suo matrimonio aveva uno splendido <u>bouquet</u>.
2. Abbiamo litigato a causa di un <u>qui pro quo</u>.
3. Mi puoi riparare l'<u>abat-jour</u>?
4. Ti sei salvato <u>in extremis</u>!
5. Quel quadro è proprio <u>kitsch</u>.
6. Stasera per cena ho preparato un <u>soufflé</u> di formaggio.
7. Senti, hai tolto la carne dal <u>freezer</u>?
8. Piero e Stefano hanno vinto il primo premio <u>ex aequo</u>.
9. È da due anni che vive in un'<u>hacienda</u> argentina.
10. Tengo la macchina sempre nel <u>garage</u>.
11. Daniele ha già visto decine di Paesi. È un vero <u>globetrotter</u>.

Soluzione: ⬜⬜⬜⬜⬜⬜⬜⬜⬜⬜⬜ . Significa amore per tutto ciò che è straniero.

3 Lessico - Vuoi lasciare un messaggio?

Abbina le espressioni della colonna di destra ai corrispondenti atti comunicativi. Per ogni atto comunicativo vanno bene due frasi.

1. presentarsi
2. chiedere di una persona
3. chiedere chi telefona
4. rispondere che la persona cercata è occupata
5. offrire di riferire alla persona che non c'è
6. segnalare un errore

- ❏ Mi spiace, sta parlando sull'altra linea. (a)
- ❏ Scusi, ma Lei chi è? (b)
- ❏ Potrei parlare con Giuseppe? (c)
- ❏ C'è Anna per favore? (d)
- ❏ Chi lo desidera, scusi? (e)
- ❏ Buongiorno, senta, sono il professor Carli. (f)
- ❏ Pronto? Mi chiamo Bertinotti. (g)
- ❏ Devo dirgli qualcosa? (h)
- ❏ Spiacente, ma qui non c'è nessun Ferrari. (i)
- ❏ Vuoi lasciare un messaggio? (l)
- ❏ Al momento è occupato. (m)
- ❏ Guardi che ha sbagliato numero … (n)

4 Congiuntivo imperfetto

a. Completa la tabella.

	essere	**stare**	**dare**
io	fossi	....	....
tu	....	stessi	....
lui/lei/Lei	....	....	desse
noi	....	stessimo	....
voi	foste	....	....
loro	....	....	dessero

b. Osserva le seguenti forme di verbi irregolari. Completa le forme mancanti degli altri verbi.

Infinito	**Indicativo presente**	**Indicativo imperfetto**	**Congiuntivo imperfetto**
capire	(io) capisco	capivo	capissi
dire	(io) dico	dicevo	....
bere	(io) bevo	....	....
fare	(io)	....	....

c. Ora rifletti e completa la regola.

La (prima e seconda? prima e terza?) _____ persona (singolare? plurale?) _____ del congiuntivo imperfetto sono uguali. Il congiuntivo imperfetto, anche dei verbi irregolari, si forma normalmente dall'indicativo (presente? imperfetto?) _____ .

5 Congiuntivo imperfetto - Non lo sapevo!

*Completa le frasi con i verbi al **congiuntivo imperfetto** come nell'esempio.*

> *Es:* Anche gli adulti scrivono gli SMS?
>
> Non sapevo proprio che anche gli adulti (*amare*) **amassero** gli SMS!

1. Ma i tuoi vicini hanno un negozio? Non immaginavo che (*lavorare*) _____ in proprio.
2. Ma come, viene gente anche stasera? Non pensavo proprio che oggi (*noi - avere*) _____ degli ospiti!
3. Capiscono anche il giapponese? Non sapevo che (*parlare*) _____ anche una lingua orientale.
4. Guardate la partita ? Non pensavo davvero che (*passare*) _____ di nuovo la serata davanti alla TV.
5. Stai male? Mi dispiace, non sapevo che (*avere*) _____ problemi di salute.
6. Avete comprato una nuova macchina? Non immaginavo proprio che (*guadagnare*) _____ così tanto …
7. Per fortuna sei arrivata. Temevo già che tu non (*riuscire*) _____ a prendere il treno!
8. Davvero? Tua moglie ama i gialli? Ed io che pensavo che (*essere*) _____ appassionata di romanzi d'amore …

6 Congiuntivo imperfetto - Avevo paura che...

Trasforma le seguenti frasi al passato, come nell'esempio.

> *Es:* <u>Ho</u> paura che lui non <u>arrivi</u> in tempo. > ***Avevo*** paura che lui non ***arrivasse*** in tempo.

1. Temo che tu non mi capisca.

   _____

2. Non sopporto che i miei mi chiamino "piccola".

   _____

3. Mi dà fastidio che si fumi in casa.

   _____

4. Ha paura che non facciamo in tempo ad arrivare.

   _____

5. Immagino che siano soddisfatti del risultato.

   _____

6. L'insegnante teme che non studiamo abbastanza.

   _____

7. Non vedono l'ora che tu venga.

   _____

8. Spero che tu mi faccia avere presto tue notizie.

   _____

7 Congiuntivo imperfetto e trapassato
Scegli la forma corretta dei verbi.

1. Sarebbe stato bello se **fossi venuto / venissi** anche tu a cena a casa di Nadia l'altra sera.
2. Si diceva che qualche anno prima quell'uomo **avesse abbandonato / abbandonasse** la famiglia.
3. Non immaginavo che si **fossero lasciati / lasciassero** perché il suo ex-marito se ne era andato con un'altra!
4. Mi piacerebbe se **fossimo riusciti / riuscissimo** ad andare in vacanza in Puglia l'estate prossima.
5. Mia madre voleva che **fossi rimasta / rimanessi** in Germania per scrivere una tesi di dottorato.
6. Credevo che Ada **stesse / fosse stata** meglio ma purtroppo è ancora molto malata.
7. Non pensavo che **perdesse / avesse perso** i genitori in un incidente di macchina.
8. Mi farebbe piacere se mio figlio **studiasse / avesse studiato** il latino a scuola.

8 Congiuntivo imperfetto e trapassato
*Completa l'e-mail coniugando i verbi al **congiuntivo imperfetto o trapassato**.*

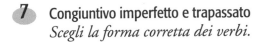

da milano

Invia   Conversazione   Allega   Indirizzo   Font   Colori   Registra come Bozza

A: francesco_pr@hotmail.com
Cc:
Oggetto: da milano

Ciao Francesco!
Finalmente trovo il tempo di scriverti due righe. Pensavi che *(morire)* _____
e di esserti liberato di me? Invece no, ho solo avuto molto da lavorare.
Grazie per gli auguri, non immaginavo che *(sapere)* _____ quand'è il mio
compleanno!
Vuoi farti due risate? Ieri sera sono uscita con Carlo per festeggiare e indovina che cosa mi
ha regalato? Un cellulare ipertecnologico!!! Non sapevo che *(esistere)*
_____ dei cellulari così sofisticati... Mentre aprivo il pacchetto ero felicissima perché pensavo *(ricordarsi)* _____ che desideravo una macchina foto-
grafica digitale e invece... Insomma speravo che mi *(regalare)* _____ qualcosa di più utile. Mi aspettavo che dopo 4 anni che stiamo insieme mi *(conoscere)*
_____ e *(capire)* _____ che odio i cellulari. È nato tutto
dal fatto che la settimana scorsa sono arrivata ad un appuntamento con 20 minuti di ritardo e
siccome aveva paura che mi *(succedere)* _____ qualcosa ha pensato bene
di farmi questo "bel" regalo! Ovviamente ho fatto finta che *(essere)* _____
un regalo gradito ma non credo di essere stata molto convincente. Lo sai come sono fatta
non riesco a nascondere ciò che provo.
Tu che combini? Come procede con la casa nuova? E Mirella come sta? Spero di ricevere
presto tue notizie, ti abbraccio forte forte
Sara

9 Congiuntivo o indicativo?

Completa le frasi con i verbi al modo e al tempo opportuno.

1. Non sapevo che Giulio (*stare*) _____ male.
2. Temiamo che il numero (*essere*) _____ destinato a crescere.
3. Secondo me (*lei - firmare*) _____ già _____ il contratto.
4. Perché non (*voi - lasciare*) _____ mai un messaggio?
5. Vogliono che i figli (*abituarsi*) _____ a mangiare di tutto.
6. Credevamo che (*loro - amarsi*) _____. Resta il fatto che (*lasciarsi*)
   _____ pochi giorni fa.
7. È tanto bella. Peccato che (*avere*) _____ un così brutto carattere!
8. Perché (*tu - arrivare*) _____ sempre in ritardo?

10 Connettivi

Completa le frasi con i connettivi della lista.

cioè	comunque	così	insomma	invece	mentre	perché	quando	quindi	tuttavia

1. Per sabato d'accordo, ti chiamo _____ stiamo per arrivare.
2. Non era in casa _____ gli ho lasciato un messaggio sulla segreteria.
3. Ha detto che non si sente bene e che _____ stasera non viene da noi.
4. Mio fratello abita ancora con i miei, mia sorella, _____, vive con il suo ragazzo.
5. Io non sono molto bravo a usare il computer, _____, se vuoi ti aiuto!
6. Prendo la bicicletta _____ con la macchina rischio di non arrivare in tempo.
7. Parliamo delle coppie di fatto, _____ delle coppie non sposate.
8. _____ si può sapere di cosa avete parlato per tutta la sera?
9. Hai ragione. Credo, _____, che la cosa possa essere vista anche da altri punti di vista.
10. Io lavoro tutto il giorno _____ tu non fai niente dalla mattina alla sera!

11 Connettivi

Leggi questo articolo di cronaca e completa con i connettivi della lista.

alla fine	allora	così	dopo	mentre	per	poi	quando	senza

Bolzano – Ménage familiare non sempre tranquillo? _____ aver «dimenticato» la moglie in un'area di servizio* dell'Autostrada del Brennero, nei pressi di Bolzano, ha viaggiato per oltre 250 km, fino a Bologna, prima di accorgersene. _____ è tornato indietro, ma, non ricordando il posto dove si era fermato, è arrivato fino in Austria. Disperato e non sapendo più cosa fare, _____ ha deciso di rivolgersi alla polizia e ha _____ potuto ritrovare la donna in questura** a Bolzano.

Protagonista dell'avventura è una famiglia emigrata in Belgio, che viaggiava in direzione di Brindisi per imbarcarsi.

Con i coniugi viaggiava anche, seduto davanti, il fratello del guidatore, _____ la moglie dormiva sul sedile di dietro. _____ il guidatore si è fermato nell'area di servizio, è sceso con il fratello per alcuni minuti. I due uomini sono _____ risaliti in auto, _____ accorgersi che la moglie era scesa _____ andare in bagno e hanno ripreso il viaggio senza controllare il sedile posteriore.

* l'area di servizio = zona per l'assistenza degli automobilisti
** la questura = ufficio di Polizia

12 Connettivi e lessico

Scegli l'espressione giusta e completa questo testo di Luciano De Crescenzo (ingegnere, scrittore e regista nato a Napoli nel 1928) autore del bestseller "Così parlò Bellavista".

Ieri ho preso il pendolino Bologna-Roma. Alla mia destra un manager con telefonino. Di fronte un giovanottone con giubbotto di pelle e occhiali Rayban, anche lui con telefonino. Accanto al giovanottone un signore anziano in giacca, cravatta e gilè grigio... in pratica un personaggio vecchio stile. "Almeno questo, penso fra me e me, non lo dovrebbe avere". E *insomma/invece* ce l'aveva, e come se ce l'aveva! È stato proprio lui il primo a estrarlo dalla fondina. *Quando/Mentre* si è sentito lo squillo non si è subito capito di chi fosse la chiamata: c'è stato prima un frenetico tramestio, un dimenarsi generale.

Ognuno ha portato, quasi d'istinto, la mano al proprio telefonino. Poi, una volta accertata la provenienza del suono, tutti si sono rilassati a eccezione del signore anziano. A questo punto, mi sono detto, urge inventare un cellulare che al posto dello squillo pronunzi chiaramente il nome del proprietario. [...]

All'apparecchio era la moglie del signore anziano. Lui, l'ha prima informata sul viaggio (abbiamo appena lasciato Bologna) poi le ha comunicato che nello scompartimento, giusto di fronte a lui, c'era De Crescenzo. "Non il cantante, ha precisato, lo scrittore... quello di Bellavista". [...]

Il giovanotto era uno sciupafemmine. Nel tratto Bologna-Firenze, *ma/malgrado* la breve durata del percorso (meno di un'ora da stazione a stazione) ha collezionato la bellezza di quattro telefonate di presunte amanti; tutte trattate, a onor del vero, con lo stesso trasporto e la stessa devozione. "Cara, mi manchi tanto". "Lo sai che senza te non posso stare". "Ieri notte ti ho sognato". L'unica parola che cambiava nel corso della telefonata era il nome di battesimo dell'interlocutrice.

Il più preoccupante di tutti, *però/perciò*, è risultato il manager: doveva essere uno che giocava in Borsa o quanto meno uno che ne capiva e qui bisogna tener conto del particolare momento politico che sta attraversando il paese. Lo yen e il dollaro sono di sicuro sopravvalutati. Logica vuole, *quindi/sebbene*, che io mi venda quei pochi dollari che ho messo da parte in questi ultimi anni vendendo (onestamente) libri. D'accordo, me ne sbarazzo, *ma poi/infine* che mi compro? Cct? Bot? Superbot? Titoli? Azioni? E quali di grazia, che io di Borsa non ho mai capito niente?

Il manager, nel suo parlare al telefonino, non era affatto chiaro, come *infatti/invece* erano stati fino a quel momento il play boy e il signore anziano. Lui non faceva mai nomi, non diceva mai numeri, lui si limitava ad accennare a ipotetiche azioni. "No, quello no... lo sai che non ci si può fidare: compra quelle altre, quelle che ti ho detto ieri... *Poiché/Ma* non metterci tutto, per carità... Fai un terzo, un terzo e un terzo. Sì, quelle sì, quelle vanno bene, e anche quelle altre... Sempre *ma/però* con gli occhi aperti, mi raccomando, e sempre pronti a vendere al minimo cenno di flessione".

Morale della favola: mi ero portato un libro da leggere un filino impegnativo, il "Nietzsche allo specchio" di Giorgio Penzo, *ebbene/perché* non ce l'ho fatta: mi sono fermato a pagina dieci. Vuoi per colpa del play boy, vuoi per la colpa del giocatore di Borsa, non sono mai riuscito a concentrarmi. Meno male che il signore anziano mi ha fatto fare una telefonata a mia figlia. "Ciao Paoletta", le ho detto, "come stai? Sono papà. Abbiamo appena superato Bologna". *Cioè/Però* che grande invenzione il telefonino!

(da: La Repubblica "Il telefonino, la mia croce" di Luciano de Crescenzo)

Invito alla lettura

1 **Dialogo scombinato**
Riordina il dialogo. Le frasi 1-4 sono nell'ordine esatto.

1. Andrea, questo lo conosci?

2. Ah, è un romanzo? Credevo che parlasse di pedagogia.

3. Ah! Quasi quasi lo regalo a mia sorella, lei ama i romanzi! Tu potresti comprarti questo, guarda, è uno dei più bei libri di racconti che abbia mai letto.

4. Sono dodici racconti che traggono ispirazione da fatti di cronaca.

a. No, è un romanzo, si intitola «Io non ho paura» perché il protagonista è un bambino!

b. Va bene. Lo prendo.

c. Sì, l'ho letto il mese scorso, è molto avvincente, a patto che ti piacciano i romanzi.

d. Fa' vedere ... «Buio» ... ah, sì, sì, ne ho sentito parlare.

1/___ ; 2/___ ; 3/___ ; 4/___

2 **Congiuntivo imperfetto**
Completa le frasi con il verbo e la parola adatta.

1. Credevamo che loro non _____ molti soldi e invece sono _____ .
2. Credevo che Totti _____ uno sciatore e invece è un _____ .
3. Credevi che Ada _____ meglio e invece sta ancora _____ .
4. Credevano che gli esercizi _____ errati e invece erano _____ .
5. Credevo che _____ in attesa del mio arrivo e invece ve ne _____ via senza di me.
6. Credevo che _____ tutto e invece non hai ammesso proprio _____ .
7. Credeva che io _____ tardi e invece, una volta tanto, sono arrivata _____ .
8. Credevo che l'isola di Favignana si _____ nelle Eolie e invece è nelle Egadi.

3 **A patto che, a condizione che, purchè + congiuntivo**
*Sostituisci le parole <u>sottolineate</u> con **a patto che/a condizione che/purché**, come nell'esempio.*

Es: Prenoto il tavolo <u>solo se mi garantisci</u> di venire con me. > *a patto che tu mi garantisca ...*

1. Lo aiuto volentieri, <u>ma solo se mi promette</u> di studiare di più.
_____

2. Ci va anche lei, <u>solo se l'accompagna</u> qualcun altro.
_____

3. Lo leggerete volentieri, <u>se amate</u> i gialli.
_____

4. Esco, <u>ma solo se mi promettono</u> di non andare in discoteca.
_____

5. Ti divertirai <u>se ami</u> la montagna!
_____

6. Sarà divertente <u>se vi piacciono</u> le escursioni.
_____

7. Lo prendo <u>solo se Lei mi fa</u> uno sconto.
_____

4 *A patto che, prima che, purchè* + congiuntivo
Completa con i seguenti verbi coniugati nel modo opportuno. I verbi non sono in ordine.

avere	multare	cadere	potere	venire

1. Gli italiani vogliono una polizia efficiente, a patto che non li _____ per eccesso di velocità.
2. Prima che la Mobile _____ fare qualcosa, l'assassino aveva già fatto una nuova vittima.
3. Sali pure purché tu non _____ dalle scale!
4. Ti raggiungo anch'io a condizione che _____ anche Davide e Susanna.
5. È rimasto in attesa per ore come se non _____ altro da fare.

5 Superlativi relativi + congiuntivo
Completa le frasi con i verbi opportunamente coniugati.

1. È il messaggio più affettuoso che *(io - ricevere)* _____ .
2. Ida è la donna più innamorata che *(lui - conoscere)* _____ .
3. È il vestito più logoro che *(tu - indossare)* _____ .
4. È la macchina più comoda che *(loro - avere)* _____ .
5. E il viaggio più noioso che *(io - fare)* _____ .
6. È la persona più ipocrita che *(noi - incontrare)* _____ .
7. È il cibo più disgustoso che *(io - assaggiare)* _____ .
8. È il corso più interessante che *(loro - frequentare)* _____ .

6 Superlativi relativi + congiuntivo
Rispondi alle domande come nell'esempio. Attenzione a concordare anche gli aggettivi.

■ Conosci *Il nome della rosa*? (libro – avvincente – leggere)
▼ Sì, è il libro più avvincente che abbia mai letto.

1. ■ Sei mai stato a Venezia? (città – bello – visitare)
   ▼ Sì, _____ .
2. ■ Che ne dici di Carlo e Giuseppe? (persone – generoso – conoscere)
   ▼ Oh, _____ .
3. ■ Avete già provato la pizza al peperoncino? (cibo – piccante – provare)
   ▼ Sì, _____ .
4. ■ Signora, conosce *Il grande fratello*? (trasmissione – stupido – vedere)
   ▼ Sì, _____ .
5. ■ Sono già saliti sul monte Bianco? (monte – alto – scalare)
   ▼ Sì, _____ .

7 Lessico - Indovina la regione

In quale regione si trova Enna, il capoluogo più alto d'Italia (m. 948)? Trova le parole corrispondenti a queste definizioni. Se le risposte saranno esatte la soluzione apparirà nelle caselle evidenziate.

1. Personaggio principale di un'opera letteraria o di un film.
2. Forma femminile di "scrittore".
3. Lo è un libro giallo, di solito un thriller.
4. Esame critico, sotto forma di articolo, di un'opera letteraria.
5. Sinonimo di quotidiano.
6. Questo libro contiene la descrizione delle strade e delle caratteristiche di città e regioni.
7. È più lungo del racconto.

8 Conoscere l'Italia e gli italiani

*Completa le frasi con la **forma passiva** dei verbi al modo e al tempo opportuni. Rispondi poi alle domande.*

1. (Fondare) _____ all'inizio del settimo secolo d. C. Per più di mille anni (governare) _____ dai dogi. Da sempre questa affascinante città piena di ponti (considerare) _____ una delle più belle d'Italia.

   Firenze ☐   Venezia ☐   Roma ☐

2. È il fiume più lungo d'Italia, ma (ritenere) _____ anche il più inquinato.

   il Po ☐   il Tevere ☐   l'Adige ☐

3. Questa regione del Nord era austriaca e (unire) _____ all'Italia solo nel 1918.

   la Lombardia ☐   il Trentino-Alto Adige ☐   il Piemonte ☐

4. È un regista italiano molto famoso. Fra i suoi film più conosciuti ci sono «La strada», «Le notti di Cabiria», «Otto e mezzo» e «Amarcord». Per questi quattro film gli (conferire) _____ quattro Oscar, rispettivamente nel 1954, 1957, 1963 e 1973.

   Roberto Rossellini ☐   Roberto Benigni ☐   Federico Fellini ☐

5. Questa grande attrice italiana è nata vicino a Napoli, ma si è trasferita con la famiglia (suo marito era un famoso produttore) negli Stati Uniti. Per la sua bravura (scegliere) _____ in molti film da diversi grandi registi.

   Gina Lollobrigida ☐   Sofia Loren ☐   Anna Magnani ☐

9 Lessico - Per una biblioteca globale

Questo brano è un riassunto della lettura
"Per una biblioteca globale".
Senza rileggerla, prova a completare il testo con
l'elemento giusto tra quelli proposti a destra.

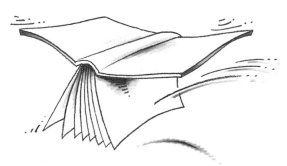

_____ Judy Andrews trovò, all'aeroporto di Los Angeles, un libro di Grisham, pensò di aver avuto fortuna. Ma non si trattava né di fortuna né di un caso e _____, guardando meglio, Judy si accorse che sulla copertina c'era una scritta che invitava a partecipare ad un esperimento organizzato dal sito Internet *bookCrossing.com*, il cui obiettivo è _____ di trasformare il mondo in una grandissima biblioteca. Su questo sito si chiede ai lettori di registrare i loro libri on-line e cominciare poi a distribuirli nei bar, sulle sedie dei cinema, sui tavoli dei ristoranti. _____ dappertutto. Una nota spiega pure il funzionamento del gioco e chiede a _____ ritrova il libro di indicare dove l'ha trovato e di quale volume si tratti.

_____ il nuovo proprietario può leggerlo e poi rimetterlo in circolo, _____ quello originario può sempre sapere se finisce in buone mani.

Da un anno _____ il numero degli interessati è salito a 24.000 unità in 50 Paesi del mondo, per un traffico di oltre 45.000 libri. «Il trucco per far funzionare il sistema - spiega il responsabile - è associare il volume giusto al posto giusto. _____ *Sulla strada* di Kerouac è stato lasciato in una stazione di benzina vicino a New York ed è arrivato in Messico.»

Chiaramente non tutti i libri arrivano a destinazione. _____ solo un 15% circa dei libri «liberati» viene trovato da un persona che si aggiunge alla catena. I proprietari, _____ , sperano che i libri vengano comunque rimessi in libertà dopo essere stati letti.

Quando / Mentre

infatti / dunque

questo / quello

In effetti / Insomma

chi / il quale

Siccome / In questo modo
mentre / durante

a questa parte / d'altra parte

Per esempio / Veramente

Insomma / Al momento

però / ma

10 Forma passiva

*Trasforma al **passivo** le forme verbali <u>sottolineate</u>.*

Barbara Bonanni, una poliziotta di Pisa, <u>ha raccolto</u> in un volume le frasi più divertenti che gli italiani, fermati da lei per diversi motivi, hanno detto per giustificare il proprio comportamento, le "scuse" che hanno raccontato per non dover pagare. Per questo il libro, che la Bonanni <u>ha pubblicato</u> nel 2003, è intitolato *Lo Scusario (dell'automobilista)*. Qui <u>riporteremo</u> solo alcuni esempi della fantasia degli italiani. Alla domanda «Perché non si è messo il casco?» un ragazzo ha risposto: «Perché mi rovinava i capelli col gel.» ed un altro «Perché ho le orecchie a sventola e il casco mi fa male.» «Perché non ha allacciato le cinture di sicurezza?» «Perché oggi ho mangiato troppo.», si è giustificato uno. «Sa perché <u>L'ho fermata</u>, vero?» «Immagino per eccesso di velocità, ma andavo un po' più forte del normale per far entrare più aria fresca... »

1. Alcune frasi divertenti _____ in un volume.

2. Il libro _____ nel 2003.

3. Qui _____ alcuni esempi della fantasia italica.

4. Lei _____ perché ...

11 Forma passiva

*Trasforma le seguenti frasi dalla **forma attiva** a quella **passiva**. Se esiste più di una possibilità scrivile tutte e due, come nell' esempio.*

Es: Migliaia di persone <u>abbandonano</u> ogni anno dei libri in tutto il mondo.
Ogni anno dei libri ***sono / vengono abbandonati*** in tutto il mondo da migliaia di persone.

1. Un signore abbandonò un libro di John Grisham all'aeroporto di Los Angeles.

_____ .

2. Il signore non aveva perduto il volume, l'aveva lasciato lì di proposito.

_____ .

3. Un sito Internet ha organizzato questo esperimento sociologico globale.

_____ .

4. Il *Bookcrossing* assegna a ogni libro un numero di identificazione ed un'etichetta.

_____ .

5. Il responsabile può stampare e attaccare sul volume l'etichetta.

_____ .

6. Il nuovo proprietario può leggere il libro trovato.

_____ .

7. I proprietari sperano che i lettori rimettano in circolazione i libri.

_____ .

Invito alla lettura

9

12 Forma passiva

*Francesca sta per partire con Luciano per Malta. Aiutala a completare la lista che sta preparando, usando la **forma passiva** come nell'esempio.*

☑ comprare i biglietti
☐ preparare la valigia
☐ innaffiare i fiori
☑ prenotare l'albergo
☐ controllare i documenti
☐ staccare il frigo e la luce
☑ leggere la guida
☐ ringraziare la suocera
☑ finire il lavoro in ufficio

> *I biglietti sono già stati comprati.*
> *La valigia deve ancora essere preparata.*

13 Forma passiva

*Leggi e completa con la **forma passiva**. I verbi non sono in ordine.*

| apprezzare | costruire | descrivere | individuare | istituire | offrire | descrivere | trasformare |

A piedi, in bicicletta o a cavallo. Spostandosi senza fretta, con ritmo lento, per meglio godere il paesaggio e stabilire un vero contatto con la natura. Strade poco note e frequentate, a volte dimenticate, ma anche collegamenti cittadini. Sono le «Greenways», le «vie verdi» che offrono un sistema di spostamento alternativo a quello automobilistico. Queste vie, facili da percorrere, _____ / _____ _____ nella guida «Natura e territorio», che _____ / _____ _____ gratuitamente negli Uffici per il Turismo. Negli Stati Uniti, dove è nata l'idea delle «Greenways», _____ _____ _____ 5 tipologie di percorsi: cittadini, ricreativi, ecologici, storici e paesaggistici, multifunzionali. In Europa _____ _____ _____ nel 1998 a Namur, in Belgio, l'associazione europea (www.aevv-egwa.org). In Spagna, uno dei Paesi più attivi in questo campo, 7mila km di strade ferroviarie non più in uso _____ _____ _____ in altrettante vie verdi e in Gran Bretagna si sta sviluppando la più estesa rete ciclabile d'Europa (15.000 km). In Italia _____ finora 9 vie verdi che _____ / _____ _____ nel volume «Greenways» in Italia di recente pubblicazione. Di certo in futuro le vie verdi _____ / _____ _____ sempre più.

14 Perché + congiuntivo/indicativo

*Completa le frasi coniugando i verbi al **congiuntivo** o all'**indicativo**.*

1. Negli Stati Uniti sono proposte 5 tipologie di percorsi perché i viaggiatori *(scoprire)* _____ nuovi itinerari e località sconosciute.

2. L'interesse per il turismo sostenibile è in aumento perché *(consentire)* _____ di divertirsi e rilassarsi nel rispetto dell'ambiente.

3. Anche se attualmente offre solo 9 vie verdi, l'Italia è stata coinvolta nel progetto «Greenways» perché *(impegnarsi)* _____ ad istituire in futuro nuovi percorsi.

4. È importante spostarsi senza fretta perché questo *(dare)* _____ la possibilità di stabilire un vero contatto con la natura.

Test 3

1 Congiuntivo presente e passato ..../14*

*Completa le opinioni degli intervistati con il **congiuntivo presente** o **passato** dei verbi.*

Come pensi che gli italiani vedano se stessi e il loro paese?

■ In generale penso che *(essere)* _____ orgogliosi del loro paese e della loro fama di persone "ardenti" e appassionate. Quest'anno sono stata due volte in Italia con degli amici italiani, sia al Nord che al Sud. Ho l'impressione che il paese *(essere)* _____ bellissimo e la gente incredibilmente amabile o ospitale.

■ Ho l'impressione che gli italiani *(sentirsi)* _____ dei "campioni" rispetto agli altri popoli. Mi pare che dopo i mondiali di calcio del 2006 *(crescere)* _____ l'autostima e l'orgoglio nazionale.

■ Sono stato in Italia e ho lavorato anche con gli italiani. Ritengo che *(sapere)* _____ dimostrarsi in gamba e amichevoli.

■ Credo che *(sentirsi)* _____ molto orgogliosi del fatto di essere italiani e del fatto che l'Italia in passato *(essere)* _____ la culla della cultura.

■ Mi pare che i ragazzi italiani *(credere)* _____ di essere molto attraenti e dotati di un dono speciale per conquistare. Non so come *(vedersi)* _____ le ragazze.

■ Penso che gli italiani *(provare)* _____ un certo orgoglio per il loro paese, per le persone e per la loro cultura. Nonostante ciò vedono l'Italia e le sue evoluzioni politiche ed economiche con occhio critico.

(www.cliro.unibo.it)

**1 punto per ogni tempo semplice (tot. 8), 3 punti per ogni tempo composto
(1 punto per ogni ausiliare e 2 punti per ogni participio - forma e concordanza - tot. 6)*

2 Aggettivi e pronomi indefiniti ..../7

*Leggi il testo e scegli il **pronome** o l'**aggettivo indefinito** corretto.*

Inglesi riservati, tedeschi industriosi e italiani passionali? *Nessuno/Tutto/Ognuno* stereotipo è basato su un fondamento scientifico. A dimostrarlo è un ampio studio condotto dal professore americano Robert McCrae pubblicato sulla rivista *Science* con la collaborazione di 85 ricercatori in 49 paesi. Gli scienziati hanno rivolto a 4mila persone di età, sesso e status sociale diverso la stessa domanda: «Com'è il cittadino tipico del tuo paese?». Quando hanno paragonato le risposte ai dati di *ogni/alcuni/tutti* studi indipendenti svolti negli stessi Paesi, non hanno riscontrato *altra/nessuna/tutta* correlazione tra la scienza e le risposte degli intervistati. In Italia giovani e vecchi condividono lo stereotipo secondo il quale l'italiano è estroverso, aperto, ma poco coscienzioso. Come in tanti *qualche/alcuni/altri* paesi, lo stereotipo è risultato fasullo. Spiega McCrae: «L'italiano medio è introverso, emotivo, e meno aperto di quanto pensa di essere».

Ma lo stereotipo peggiore affligge gli inglesi. «Si considerano e sono considerati molto riservati, mentre in realtà sono tra i più estroversi al mondo». I caratteri stereotipati di *tutte/qualcuno/alcune* le nazionalità non sono generalizzazioni basate su osservazioni di *niente/qualche/tutto* tratto della personalità dei cittadini di quel paese, ma congetture sociali, probabilmente basate su condizioni socio-economiche, storia, costumi, miti e valori di una cultura. «Il nostro studio dimostra che non c'è *nessuna/tutta/ogni* corrispondenza tra gli stereotipi e tratti di personalità reali. Dobbiamo ricordarci di guardare alla gente come individui singoli e non come americani, arabi, italiani o israeliani».

(www.corriere.it)

3 Congiuntivo

(..../16*)

Completa il brano dell'intervista coniugando i verbi al tempo opportuno del **congiuntivo**.

Walter Veltroni, sindaco di Roma, qual è l'esigenza principale che la lega al web?

Tempo fa credevo che il motivo principale *(essere)* _____ l'informazione, per quella straordinaria possibilità che il web dà, di poter accedere a fatti e notizie in qualunque momento, di riuscire ad aver le notizie in tempo reale, con un semplice clic. Ma oggi penso che internet *(essere)* _____ anche altro. È partecipazione, condivisione, riduzione delle distanze non solo fisiche ma soprattutto sociali. Ritengo che questo *(rappresentare)* _____ uno dei pregi di internet. Fin dall'inizio pensavo che *(dovere)* _____ essere considerato come una vera e propria piazza mediatica e interattiva, alla quale tutti possono accedere per ottenere le informazioni di cui hanno bisogno. Speravo che tutti *(capire)* _____ da tempo che questo permette di abolire soprattutto le gerarchie. Sì, perché la Rete non è fatta di gerarchie, ma di nodi. Tuttavia ho l'impressione che pochi oggi *(comprendere)* _____ quanto le nuove tecnologie, ad esempio, *(potere)* _____ diventare utili strumenti per accorciare le distanze tra pubblica amministrazione e cittadini. Per questo c'è bisogno di una distribuzione e diffusione delle tecnologie più ampia possibile perché il web *(costituire)* _____ davvero un'opportunità per tutti. Ritengo che Roma in questi ultimi anni *(fare)* _____ molti progressi in questa direzione. Per esempio con il progetto Roma Wireless. Ho immaginato una mamma che, in un qualunque giorno della settimana, decide di portare il figlio a Villa Borghese. Mi sembrava utile che, mentre lui giocava, lei *(potere)* _____ pagare le bollette collegandosi a internet tramite il proprio computer, senza fili. Il tutto, in un contesto come quello, ad esempio, delle Ville storiche romane. Questo è il senso del progetto: semplificare la vita dei cittadini, consentendo loro di avere più tempo libero da trascorrere con la famiglia. Mi pare che questo progetto al momento non solo *(allineare)* _____ la nostra città ad altre metropoli, come New York o Tokyo, dove il wireless è una realtà già consolidata, ma che *(fare)* _____ di Roma la prima città italiana a sperimentare la nuova tecnologia a banda larga. E questo è forse l'esempio più evidente della doppia identità di Roma, dove convivono storia, modernità e innovazione. *(www.repubblica.it)*

*1 punto per ogni tempo semplice, 3 punti per ogni tempo composto
(1 punto per ogni ausiliare e 2 punti per ogni participio - forma e concordanza).

4 Forma passiva

(..../20*)

Completa i testi con la **forma passiva** *dei verbi al* **presente** *o al* **passato prossimo**.

Come Dio comanda di Ammaniti, Niccolò
Ottimo romanzo: crudo, cinico, ma anche drammatico e comico. I luoghi *(presentare)* _____ in modo preciso; i personaggi, poi, non *(descrivere)* _____ solo nell'aspetto fisico, ma *(considerare)* _____ anche i loro stati d'animo, le loro paure e i loro desideri. Come tutti i romanzi di Ammaniti, la scrittura è molto scorrevole e la storia emotivamente coinvolgente. Da leggere.

Margherita Dolcevita di Benni, Stefano
È il libro più bello, poetico, triste e divertente che abbia mai letto! *(Divorare)* _____ da mia figlia di quindici anni (e non è una lettrice accanita, ve l'assicuro). Se ve lo siete perso non esitate e correte a prenderlo!!!

Sostiene Pereira di Tabucchi, Antonio
Questo libro è molto più attuale di quanto si pensi. *(Ambientare)* _____ in un periodo storico tra i più difficili. Racconta la vita di un uomo che si è trovato di fronte ad una situazione politica esplosiva, pochi mesi prima della seconda guerra mondiale. Racconta la storia di un uomo che ha fatto una scelta difficile e dolorosa. Questo messaggio *(comunicare)* _____ in tutto il romanzo. Il finale è, secondo me, geniale... *(www.bookcrossing-italia.com)*

*3 punti per ogni presente giusto (1 punto per ogni ausiliare e 2 punti per ogni participio - forma e concordanza - tot. 15),
5 punti per ogni passato prossimo giusto (1 punto per ogni ausiliare e 2 punti per ogni participio - forma e concordanza - tot. 5).

La famiglia cambia faccia

1 Lessico - Italiani mammoni? No, genitori «possessivi»

Il seguente testo è già apparso nella lezione 10. Completalo con i vocaboli della lista.

| cambio | ricercatori | percentuale | fenomeno | prole | mammoni | genitori | ricerca | casa |

| beneficio | nido | ali | figli | indipendenza | studio | famiglia | disoccupati | giovani |

Italiani _____ ? Se mai il contrario. Non sono loro a non volersene andare di _____ , ma i genitori italici che sono fin troppo propensi a dare il _____ ai loro piccoli ma che si guardano bene dal fornire le _____ per spiccare il volo. In altre parole, i _____ italiani metterebbero in atto vere e proprie strategie per «costringere» la prole a non andarsene di casa o comunque ad andarsene il più tardi possibile. A sostenere questa «rivoluzione copernicana» sono due _____ , uno che lavora a Londra e uno a San Francisco, guarda caso entrambi italiani, visto che rispondono ai nomi, rispettivamente, di Marco Manacorda ed Enrico Moretti.
LO STUDIO - I due hanno appena pubblicato sulla rivista *Centrepiece* uno _____ nel quale declinano i motivi, dati alla mano, per cui sarebbero non i _____ , bensì i genitori a guadagnare da questa situazione. «In Italia l'80% dei _____ tra i 18 ed i 30 anni vive con i genitori: una _____ enorme in confronto al 50% dei britannici e al 40% degli statunitensi» fanno notare Manacorda e Moretti. Secondo loro il _____ è dovuto al fatto che, al contrario dei genitori anglosassoni, a quelli italiani «piace avere i propri figli intorno e pur di convincerli a vivere con loro sono disposti a corromperli in cambio di favori e soldi».
BENEFICI - I genitori traggono _____ dalla compagnia e dai servizi che i figli possono offrire e soprattutto, secondo la _____ , dall'opportunità di costringere i figli a osservare le loro regole. Mentre quindi per i genitori la situazione risulta vantaggiosa, al contrario i giovani si trovano con le ali tarpate, sono spesso _____ , viaggiano di meno e faticano a mettere su _____ . «Il prezzo che i giovani italiani si trovano a pagare è una scarsa _____ e, a lungo termine, poca soddisfazione nella vita. In conclusione, riteniamo che i genitori italiani si sforzino molto per farsi amare dalla loro _____ , ma in un certo senso comprano questo amore in _____ dell'indipendenza dei figli», hanno concluso i ricercatori.

2 Lessico - Anagrammi

Qui compaiono gli anagrammi (es. pasti – pista) di alcuni vocaboli apparsi nella Lezione 10. Trovali e scrivili accanto alla loro spiegazione.

| olrpe | mmmaoen | àmtianret | tonsusaeon | tàantail |

| csiarcte | dpiinotes | tscduaiocop | ocmdterene |

1. Lo è chi ha ottenuto da poco una regolare assunzione. _____
2. L'aumento di qualcosa ed il suo risultato. _____

3. La riduzione di quantità, di numero. _____
4. Lo è chi non ha o non trova lavoro. _____
5. Una persona che è troppo attaccata alla mamma. _____
6. Retribuzione in denaro mensile data a chi svolge un lavoro. _____
7. Insieme dei figli di una coppia o di una singola persona. _____
8. Periodo prima e dopo il parto durante il quale la madre si congeda dal lavoro mantenendo la normale retribuzione. _____
9. Numero delle nascite di un luogo in un dato periodo. _____

3 Lessico - L'Italia cambia faccia

Le seguenti frasi sono riprese dal testo "L'Italia cambia faccia, è il paese dei figli unici" apparso nell'attività 2 della Lezione 10. Completale con i vocaboli della lista.

| natalità | popolazione | demografi | figli | media | figlio unico | ricchi | tasso |

1. La denatalità del Belpaese: solo 1,18 _____ per donna.
2. Abbiamo il tasso di _____ più basso al mondo.
3. L'Italia, con una _____ di 1,18 bambini per donna, occupa il posto più in basso della classifica mondiale della natalità.
4. Questo significa che ogni anno ci sono più morti che nascite, un fenomeno che i _____ chiamano "fertilità inferiore alla sostituzione".
5. La dimensione delle famiglie si sta letteralmente restringendo in molte zone della terra, in particolare nei paesi più _____ .
6. Oggi nel mondo siamo 6 miliardi ma il _____ di crescita è sceso all'1,2 per cento.
7. Il sociologo francese Jean-Claude Kaufman attribuisce l'aumento delle famiglie con un _____ alla "crescita dell'individualismo".
8. Il declino nella crescita della _____ sta avvenendo quasi esclusivamente nelle nazioni maggiormente sviluppate.

4 Avverbi, verbi, sostantivi e aggettivi

Completa la tabella con gli elementi mancanti quando possibile.

verbo	sostantivo	aggettivo	avverbio
---	_____	*attento*	_____
decidere/decidersi	_____	*deciso*	_____
---	*eleganza*	_____	_____
_____	_____	*nato*	---
---	_____	*severo*	_____
---	*sicurezza*	_____	_____
---	_____	*sincero*	_____
---	_____	*tradizionale*	_____
---	*possibilità*	_____	_____
---	_____	*probabile*	_____
---	*regolarità*	_____	_____

5 Forma negativa di aggettivi e avverbi

*a. Inserisci gli **aggettivi** alla forma negativa nella colonna corrispondente, come nell'esempio.*

in-	im-	ir-
incredibile		

credibile
dipendente
finito
regolare
usuale
utile
paziente
popolare
preciso
probabile
ragionevole
disciplinato

b. Completa la regola.

Il prefisso -in

diventa -im davanti a _____ ,

diventa -ir davanti a _____ .

*c. Adesso trasforma gli aggettivi in **avverbi** come nell'esempio.*

aggettivo	avverbio
incredibile	*incredibilmente*

6 Aggettivo o avverbio?

a. Trasforma i seguenti aggettivi in avverbi.

scarso   ⟶   _____

esclusivo   _____

maggiore   _____

notevole   _____

facile   _____

rapido   _____

chiassoso   _____

economico   _____

*b. Ora usa le coppie di **aggettivi** e **avverbi** dell'esercizio precedente per completare le frasi, come nell'esempio.*

1. Il numero di donne che lavorano è _____ aumentato negli ultimi anni.

   L'aumento delle donne che lavorano è stato _____ negli ultimi anni.

2. Il declino nella crescita della popolazione sta avvenendo _____ nelle nazioni maggiormente sviluppate.

   Il declino nella crescita della popolazione è un fenomeno _____ delle nazioni maggiormente sviluppate.

3. Ciò avviene ***maggiormente*** nei paesi più ricchi.

   Ciò avviene nei paesi con una ***maggiore*** ricchezza.

4. Le _____ famiglie radunate intorno al tavolo sono ormai in via d'estinzione.

   Il numero delle famiglie che si radunano _____ intorno al tavolo è ormai in via d'estinzione.

5. Con un solo figlio la vita è più _____.

   Con un solo figlio affrontare la vita è _____ più facile.

6. Per i figli unici è più _____ che per i loro amici con fratelli frequentare prestigiose scuole private.

   I figli unici frequentano più _____ dei loro amici con fratelli prestigiose scuole private.

7. L'età della popolazione mondiale aumenta _____.

   L'età della popolazione mondiale ha subito una _____ crescita.

8. Il prezzo che i giovani italiani si trovano a pagare è una _____ indipendenza.

   I giovani italiani sono _____ indipendenti rispetto agli altri giovani europei.

7 **Sebbene + congiuntivo**
Trasforma le frasi secondo il modello.

Es: Esco <u>anche se piove</u>.	Esco ***sebbene piova***.
Ho deciso di uscire <u>anche se pioveva</u>.	Ho deciso di uscire ***sebbene piovesse***.

1. Anche se non ne ho voglia devo studiare. _____

2. Anche se sei stanco finisci il lavoro! _____

3. Anche se erano stranieri, parlavano benissimo l'italiano. _____

4. Anche se si alzavano presto, arrivavano sempre in ritardo. _____

5. Anche se perdete, continuate a battervi. _____

6. Anche se continuano a sbagliare, non si perdono d'animo. _____

7. Anche se era grasso non si metteva mai a dieta. _____

8 *Nonostante, sebbene, benché, malgrado + congiuntivo*
*Sottolinea tutte le frasi concessive e trasforma poi le forme con anche se nelle corrispondenti forme con **nonostante** / **sebbene** / **benché** / **malgrado** e viceversa, come nell'esempio.*

Avevo deciso che sarei andata a sciare a tutti i costi. E così, <u>*anche se* il tempo non era particolarmente bello</u>, mi sono alzata presto e mi sono messa in macchina. Nonostante il traffico sono arrivata a Pampeago abbastanza presto. C'erano già diversi bus parcheggiati nel piazzale e moltissime auto di turisti. La mia amica Albina mi aveva promesso che sarebbe venuta con me, ma non so perché non si è fatta vedere. Ma è stato divertente anche se ero da sola. Sebbene ci fosse molta gente ho potuto sciare senza problemi (sono brava, anche se mio marito – che è maestro di sci – dice il contrario!). A pranzo mi sono fermata per mangiare un panino al formaggio e poi via di nuovo sulle piste. Insomma, malgrado ci fosse un freddo terribile, non mi sono più fermata fino alle cinque. È stata una giornata bellissima nonostante tutto!

(1) ***Nonostante/Sebbene/Benché/Malgrado** il tempo non *fosse* particolarmente bello …*

(2) _____

(3) _____

(4) _____

(5) _____

(6) _____

9 *A patto che, prima che, purché, a condizione che, come se + congiuntivo*
*Completa con i verbi coniugati al **congiuntivo**. I verbi non sono in ordine.*

1. Gli italiani vogliono una polizia efficiente, a patto che non li _____ per eccesso di velocità.
2. Prima che la Mobile _____ fare qualcosa, l'assassino aveva già fatto una nuova vittima.
3. Sali pure purché tu non _____ dalle scale!
4. Ti raggiungo anch'io a condizione che _____ anche Davide e Susanna.
5. È rimasto in attesa per ore come se non _____ altro da fare.

| avere |
| bloccare |
| cadere |
| potere |
| venire |

10 *Sebbene, malgrado, benché, nonostante + congiuntivo / Anche se + indicativo*
Trasforma le frasi, secondo il modello.

Es: <u>Sebbene</u> i nonni <u>abbiano</u> meno nipoti, non sono più così disponibili.
Anche se i nonni ***hanno*** meno nipoti, non sono più così disponibili.

1. Sebbene non studino troppo, si arrangiano.   Anche se _____ .
2. Anche se non hanno più molta energia, stanno dietro ai nipotini.   Sebbene _____
   _____ .
3. Benché gli adulti li carichino di impegni, a volte i bambini trovano il tempo di annoiarsi.   Anche se _____
   _____ .
4. Anche se le condizioni del tempo sono preoccupanti, gli aerei partono.   Nonostante _____
   _____ .
5. Nonostante si siano separati, sono rimasti buoni amici.   Anche se _____
   _____ .
6. Anche se piove a dirotto, abbiamo deciso di uscire.   Malgrado _____ .

11 *A patto che, a condizione che, purché + congiuntivo*
Sostituisci le parole ed il verbo sottolineati con purché / a condizione che / a patto che + congiuntivo, come nell'esempio.

Es: Prenoto il tavolo solo se mi garantisci di venire con me.
... ***a patto che tu mi garantisca*** ...

1. Lo aiuto volentieri, ma solo se mi promette di studiare di più.
   _____

2. Ci va anche lei, solo se l'accompagna qualcun altro.
   _____

3. Lo leggerete volentieri, se amate i gialli.
   _____

4. Esco, ma solo se mi promettono di non andare in discoteca.
   _____

5. Ti divertirai se ami la montagna!
   _____

6. Sarà divertente se vi piacciono le escursioni.
   _____

7. Lo prendo solo se Lei mi fa uno sconto.
   _____

12 Condizionale presente - Notizie riferite
*Le frasi che seguono sono state riprese da un articolo apparso sul "Corriere della Sera" (9 marzo 2007). Trattandosi di notizie riferite, riscrivile usando il **condizionale presente**, quando necessario, come nell'esempio.*

1. Sono ore cruciali per Daniele Mastrogiacomo, l'inviato de *La Repubblica*, che è stato rapito lunedì scorso nel Sud dell'Afghanistan dai Talebani ed è accusato di essere una spia. Secondo due giornalisti pachistani Mastrogiacomo è sano e salvo e si trova ancora in Afghanistan. In attesa di un segnale concreto si intensificano i contatti con il contingente britannico che, secondo alcune fonti, è pronto a fornire un aiuto all'Italia.
   *Sono ore cruciali per Daniele Mastrogiacomo, l'inviato de La Repubblica, rapito lunedì scorso nel Sud dell'Afghanistan dai Talebani e accusato di essere una spia. Secondo due giornalisti pachistani Mastrogiacomo **sarebbe** sano e salvo...*

2. Da quanto viene riferito dal portavoce dei Talebani Kari Ahmadi, l'uomo che dall'inizio dell'anno ha preso il controllo della comunicazione talebana, Daniele Mastrogiacomo è ancora vivo e sta bene.

3. A suo dire, l'indagine dei Talebani per scoprire la vera identità del giornalista italiano intanto va avanti. Sempre secondo il portavoce dei Talebani, i responsabili del rapimento stanno preparando un video per dimostrare che Daniele Mastrogiacomo è ancora in vita.

4. Per Kari Ahmadi la notizia apparsa su internet, in cui si chiede di liberare i loro portavoce ed il ritiro dei soldati italiani dall'Afghanistan, in cambio della liberazione del giornalista italiano rapito, è falsa. Sempre secondo il portavoce dei Talebani, infatti, i Talebani non hanno ancora un piano.

Tradizioni italiane

1 **Lessico - Tradizioni italiane**

Ecco una serie di "usi" legati ad alcune feste. Sai a quali delle seguenti feste si riferiscono?

| Natale | Pasqua | Epifania | Capodanno | Carnevale | Festa della Donna |

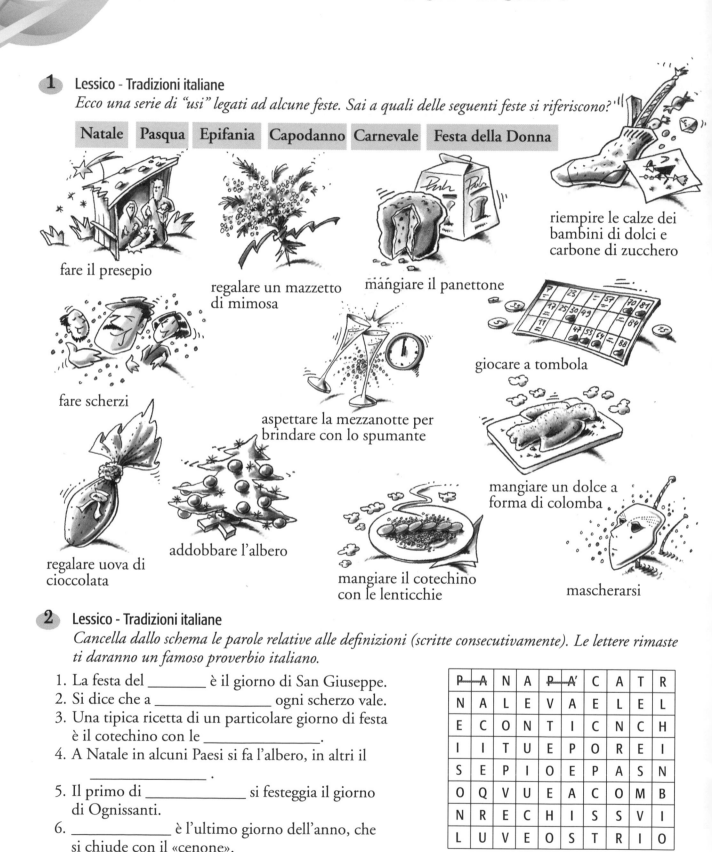

fare il presepio

regalare un mazzetto di mimosa

mángiare il panettone

riempire le calze dei bambini di dolci e carbone di zucchero

fare scherzi

aspettare la mezzanotte per brindare con lo spumante

giocare a tombola

mangiare un dolce a forma di colomba

regalare uova di cioccolata

addobbare l'albero

mangiare il cotechino con le lenticchie

mascherarsi

2 **Lessico - Tradizioni italiane**

Cancella dallo schema le parole relative alle definizioni (scritte consecutivamente). Le lettere rimaste ti daranno un famoso proverbio italiano.

1. La festa del _____ è il giorno di San Giuseppe.
2. Si dice che a _____ ogni scherzo vale.
3. Una tipica ricetta di un particolare giorno di festa è il cotechino con le _____.
4. A Natale in alcuni Paesi si fa l'albero, in altri il

   _____ .
5. Il primo di _____ si festeggia il giorno di Ognissanti.
6. _____ è l'ultimo giorno dell'anno, che si chiude con il «cenone».

P	A	N	A	P	A	C	A	T	R
N	A	L	E	V	A	E	L	E	L
E	C	O	N	T	I	C	N	C	H
I	I	T	U	E	P	O	R	E	I
S	E	P	I	O	E	P	A	S	N
O	Q	V	U	E	A	C	O	M	B
N	R	E	C	H	I	S	S	V	I
L	U	V	E	O	S	T	R	I	O

Soluzione: _

_ _ _ _ _ _ _ _ _

3 Pronome relativo "possessivo"
*Unisci le frasi con un **articolo determinativo** o una **preposizione** + cui, come nell'esempio.*

Es: Giulio è un mio caro amico. Il fratello di Giulio stasera fa una festa.
*Giulio, **il cui fratello stasera fa una festa**, è un mio caro amico.*

1. Maria è una mia amica d'infanzia. La mamma di Maria è la mia insegnante d'inglese.
   _____.

2. Il ristorante è cinese. Gli affari del ristorante vanno molto bene.
   _____.

3. Quel signore è il mio maestro di yoga. I suoi insegnamenti sono stati fondamentali per me.
   _____.

4. Maria è incinta. Hai conosciuto suo marito alla conferenza di ieri.
   _____.

5. La mia coinquilina è in vacanza. La sua stanza è stata affittata.
   _____.

6. Emilio va male nelle materie scientifiche. La madre di Emilio è professoressa di matematica.
   _____.

7. Quella persona sarà il tuo nuovo capo. Hai risposto male a quella persona poco fa.
   _____.

4 Pronomi relativi
*Completa le frasi con un **articolo determinativo** o una **preposizione** + cui (o con tutti e due).*

1. L'Italia, _____ coste sono bagnate da tre lati dal mare, è una penisola.
2. La Società di navigazione, _____ battelli partono da Pella, si chiama lago d'Orta.
3. Nico's, un negozio _____ si possono ammirare interessanti pezzi d'antiquariato, è al centro del paese.
4. In Via Olina c'è un negozio _____ non ricordo il nome.
5. Mio figlio, _____ comportamento comincia a preoccuparmi, frequenta compagnie che non mi piacciono.
6. Mi è capitata fra le mani la rivista *Nature*, _____ articoli si parla spesso di preoccupanti cambiamenti climatici.
7. Devo proprio ringraziare gli amici, senza _____ aiuto non avrei potuto arrangiarmi.
8. Quel professore, _____ studenti sono sempre preparatissimi, l'anno prossimo purtroppo andrà in pensione.

5 Segnali discorsivi e connettivi

*Completa le frasi con i **segnali discorsivi** e **connettivi** della lista, come nell'esempio.*

| magari | magari | allora | e poi | guarda che | così | ~~beh~~ | ma dai | però | eh | proprio |

1. ● Come mai non hai comprato il pane?
   ◆ ____*Beh*____ , volevo comprarlo, ma me ne sono dimenticata.

2. ● Smettila di chiacchierare e finisci quel lavoro!
   ◆ _____ l'ho già finito da un pezzo.

3. ● Certo che Franco ci sa fare con i bambini.
   ◆ È _____ questa sua capacità di interagire con i bambini che mi ha colpita.

4. ● Hai capito o no?
   ◆ Sì, _____ , secondo me, anche la teoria di Luigi non è del tutto sbagliata.

5. ● Mi avevi promesso che saremmo andati al cinema...
   ◆ _____... hai ragione, proprio non me la sento di uscire con questo mal di gola!

6. ● Sono stufa di questa situazione, me ne vado!
   ◆ _____ , smettila!

7. ● Se non ti copri prendi freddo e ti ammali!
   ◆ _____ mi ammalassi, _____ domani non dovrei andare a lavoro.

8. ● Beh, _____ sei pronto?
   ◆ Sì, un minuto e arrivo!

9. ● Ci vediamo dopo pranzo?
   ◆ Mi dispiace, ma oggi pomeriggio non posso, _____ ci vediamo un'altra volta, va bene?

10. ● Avevi detto che mi avresti telefonato...
    ◆ Sì, hai ragione, ma sono stata occupata tutto il giorno, _____ , dai, non mi sembra un buon motivo per arrabbiarsi in questo modo.

6 *Magari!*

*Abbina le frasi e coniuga i verbi al **congiuntivo imperfetto**.*

1. Vuoi che partano senza di noi?
2. Davide è già arrivato?
3. Il treno è già partito?
4. Ti dà fastidio se stasera invito degli amici?
5. Ti ha regalato qualcosa?

a. Macché! Magari *(essere)* _____ puntuale una volta!
b. Al contrario! Magari *(venire)* _____ gente più spesso!
c. Figurati! Magari mi *(portare)* _____ qualcosa ogni tanto!
d. Beh, io ne sarei contenta. Magari *(potere)* _____ star tranquilli a casa!
e. Eh, purtroppo sì. Magari *(avere)* _____ ritardo ogni tanto!

7 *Magari*!

Trasforma il testo usando l'espressione "magari" ed il congiuntivo imperfetto, come nell'esempio.

Sono proprio stufa! (1) I miei genitori non mi lasciano uscire mai la sera e, (2) se qualche volta me lo permettono, (3) devo rientrare al massimo a mezzanotte! (4) Mi danno pochissimi soldi, (5) si lamentano di come mi vesto, (6) devo fare i lavori di casa e non ho mai tempo per me!

1. *Magari mi lasciassero uscire* la sera!
2. _____ !
3. _____ !
4. _____ !
5. _____ !
6. _____ !

8 Condizionale passato - Futuro nel passato

Ecco che cosa aveva promesso Michele alla sua futura moglie il giorno prima del loro matrimonio. Trasforma le seguenti promesse in promesse non mantenute riscrivendo le frasi con il condizionale passato.

Ti prometto che...
1. non vivremo più per strada ma prenderemo una casa
2. cercherò un lavoro
3. guadagnerò abbastanza per poter andare a tutti i concerti di musica punk
4. avremo tanti figli e mi occuperò io di loro
5. continueremo a viaggiare in giro per il mondo
6. ascolteremo insieme la nostra musica preferita
7. insegnerò ai nostri figli a suonare la chitarra
8. smetteremo di bere e di drogarci

Mi avevi promesso che...
1. _____
2. _____
3. _____
4. _____
5. _____
6. _____
7. _____
8. _____

9 Condizionale composto - Futuro nel passato

Il seguente articolo riporta la notizia che nell'anno 2012 ci sarà la fine del mondo. In realtà ciò non è poi avvenuto e un giornalista pubblica il seguente articolo il 23 dicembre 2012. Riscrivi l'articolo secondo l'esempio.

La notte tra il 22 ed il 23 dicembre del 2012 è stato previsto che <u>ci sarà</u> la fine del mondo. Questa catastrofe è stata prevista più di 5000 anni fa dai Maya, popolo che è riuscito a calcolare molti avvenimenti che poi si sono realmente realizzati come, per esempio, le eclissi solari e lunari.

I fenomeni fisici che <u>porteranno</u> il mondo in rovina sono i seguenti:

1. <u>Ci sarà</u> un allineamento planetario nel nostro sistema solare così singolare da non essere mai accaduto prima. Si teme, quindi, come conseguenza, che la forza di gravità che <u>sarà esercitata</u> dagli altri pianeti <u>provocherà</u> il cambiamento dell'orbita terrestre che <u>causerà</u> un allontanamento o un avvicinamento al sole.

2. <u>Si invertiranno</u> i poli magnetici del nostro pianeta a causa dell'elevata inclinazione dell'asse terrestre dovuta, anch'essa, al suddetto allineamento planetario che oltre a modificare l'orbita <u>sposterà</u> l'asse terrestre.

3. Infine, la notte tra il 22 ed il 23 dicembre del 2012 <u>segnerà</u> la fine dell'anno galattico. Infatti, come la terra anche la galassia gira, e quindi anche la galassia ha un suo anno (che dura 25.625 anni) che <u>si concluderà</u> appunto in tale data. Non si sa cosa <u>succederà</u> con la fine dell'anno galattico, questo fenomeno rimane, dunque, il più misterioso dei tre.

La profezia ci dice che <u>ci saranno</u> dei grandi cambiamenti, climatici per quanto riguarda il nostro pianeta, spirituali tra gli esseri umani, ma il mondo dopo quella data <u>continuerà</u> ad esistere e a vivere.

(adattato da: http://blogs.dotnethell.it)

Ecco come riporta la notizia un giornalista il 23 dicembre 2012, il giorno dopo lo scampato pericolo:

a. **La notte tra il 22 ed il 23 dicembre del 2012 era stato previsto che ci <u>sarebbe stata</u> la fine del mondo.**

b. I fenomeni fisici che _____ il mondo in rovina erano i seguenti.

c. _____ un allineamento planetario nel nostro sistema solare così singolare da non essere mai accaduto prima.

d. Si temeva, quindi, come conseguenza, che la forza di gravità che _____ dagli altri pianeti _____ il cambiamento dell'orbita terrestre che _____ un allontanamento o un avvicinamento al sole.

e. _____ i poli magnetici del nostro pianeta a causa dell'elevata inclinazione dell'asse terrestre dovuta, anch'essa, al suddetto allineamento planetario che oltre a modificare l'orbita _____ l'asse terrestre.

f. Infine, la notte tra il 22 ed il 23 dicembre del 2012 _____ la fine dell'anno galattico.

g. Infatti, come la terra anche la galassia gira, e quindi anche la galassia ha un suo anno (che dura 25625 di anni) che _____ appunto in tale data.

h. Non si sapeva cosa _____ con la fine dell'anno galattico, questo fenomeno rimaneva, dunque, il più misterioso dei tre.

i. La profezia diceva che _____ dei grandi cambiamenti, climatici per quanto riguarda il nostro pianeta, spirituali tra gli esseri umani, ma il mondo dopo quella data _____ ad esistere e a vivere.

10 Avverbi e locuzioni avverbiali
Queste frasi sono riprese dal testo "Mamma Nunzia" apparso nella Lezione 11. Completale con gli **avverbi** *e le* **locuzioni avverbiali** *della lista.*

| allora | allora | ancora | ovunque | così | adesso | da quell'istante in poi | tuttora | solo |

1. Non era sposata _____ , e noi eravamo la sua famiglia.

2. Era una zia molto speciale, lo è _____ .

3. Sono cresciuta tenedola per mano e seguendola _____ .

4. Non era _____ gelosia, ma un cambiamento radicale.

5. Ricordo _____ il suo abito da sposa e il mio vestito blu e bianco a piccoli fiori.

6. Non riuscivo ad immaginare come sarebbe stata la mia vita _____ .

7. Una donna, vedendo il viso della madonna e del bambino che portava in braccio aveva proferito parole di disprezzo per il colore della sua pelle. _____ un'onda enorme aveva inghiottito il suo bimbo che giocava ignaro sulla spiaggia.

8. Al catechismo avevo studiato che la madonna è la mamma di Gesù. Una mamma. Come poteva una mamma essere _____ spietata?

9. Lei mi guardò intenerita e abbracciandomi mi spiegò che _____ aveva un compagno e che sarebbe rimasta con lui; che sarebbero partiti per la luna di miele dopo pochi giorni.

Salviamo il nostro pianeta

1 Lessico - Le malattie della Terra

Individua le parole (scritte di seguito) che hanno a che fare con fenomeni/problemi atmosferici. Le lettere rimaste, lette nell'ordine, daranno il nome di un preoccupante fenomeno di cui si parla molto.

Soluzione: Uno dei più gravi problemi attuali sono le _ _ _ _ _ _   _ _ _ _ _ .

2 Lessico - La casa ecologica

Completa l'articolo scegliendo tra le tre opzioni la parola appropriata.

Benvenuti nella casa più (1) d'Italia. Mentre in tutto il (2) si discute di salvezza dell'ambiente, una famiglia in Alto Adige l'ha già salvato. E in più risparmia.
A Gais, in provincia di Bolzano, il signor Albert Willeit vive in un sogno realizzato e ci sta così bene che non (3) mai di uscire. Sul suo terrazzo è appesa una targa dove sta scritto che la sua è la miglior Casa Clima del 2002. Ha ricevuto questo riconoscimento (e 13 mila euro) da una provincia attenta all'ambiente come quella di Bolzano perché la sua abitazione è considerata la più (4) d'Italia; ed è pure (5). I materiali di costruzione sono ecologici. L'energia è quella solare e porta l'acqua fino a 90° C. Se manca il sole si mette in funzione una caldaia a legna (6) produce pochissimi rifiuti. L'acqua piovana (7). Il terrazzo è mobile e (8) per seguire il corso del sole e per non far ombra sulle zone in cui serve la luce. I Willeit mangiano carne una volta alla settimana, si curano con l'omeopatia, non (9). Hanno arredi essenziali (così fanno pulizie solo una volta alla settimana), usano pochi detersivi e la lavastoviglie (10) 3 giorni e fanno la raccolta differenziata dei rifiuti.

1. (a) microscopica   (b) elegante   (c) ecologica
2. (a) pianeta   (b) terra   (c) pianta
3. (a) va   (b) le va   (c) gli va
4. (a) sufficiente   (b) ambientalista   (c) sconsolata
5. (a) inorridita   (b) innovativa   (c) amareggiata
6. (a) che   (b) cui   (c) il quale
7. (a) è stata riciclata   (b) viene riciclata   (c) era riciclata
8. (a) si sposta   (b) spostandosi   (c) si sposti
9. (a) mangiano   (b) fumano   (c) bevono
10. (a) tutti   (b) tutti i   (c) ogni

3 Lessico - Problematiche ambientali

Nella colonna di destra vengono elencate le cause di alcune problematiche ambientali elencate nella lista di sinistra.

Completa la tabella scrivendo accanto a ogni causa la problematica ambientale corrispondente.

erosione del suolo

distruzione delle foreste

piogge acide ed altre forme d'inquinamento

desertificazione

distruzione degli ecosistemi

distruzione dello strato di ozono

effetto serra

Problematica	Causa
	Avviene quando una terra povera e arida viene sfruttata eccessivamente e si trasforma in deserto.
	Avviene quando l'anidride carbonica accumulata causa un aumento della temperatura terrestre.
	Avviene quando la terra coltivabile viene spazzata via dal vento e dalla pioggia.
	Avviene quando lo strato protettivo di ozono nell'atmosfera si distrugge in seguito all'uso di cloro-fluorocarburi.
	Avviene con incendi e disboscamento.
	Avviene quando l'emissione di agenti inquinanti uccide varietà di piante e specie animali.
	Avviene quando vengono immesse nell'ambiente notevoli quantità di agenti inquinanti.

4 Lessico - Intervista all'onorevole Frassoni

Questo brano è tratto dall'intervista a Monica Frassoni apparsa nella Lezione 12. Completalo con i vocaboli della lista.

protezione   ambientali   culturali   inquinamento   ambiente   degrado   economia

emergenza   politica   diritti   sviluppo

Cosa farebbe l'onorevole Frassoni se fosse Presidente della Commissione Europea?

"Se fossi Presidente della Commissione Europea presterei senza dubbio maggiore attenzione alle politiche _____. Ancora recentemente la Commissione Barroso ha purtroppo dimostrato il suo scarso interesse per l'_____ con il rinvio della discussione di due documenti relativi all'_____ atmosferico e con la sua dura opposizione a nuove leggi in materia di prodotti chimici, _____ della natura, rifiuti o regole per la costruzione di grandi infrastrutture. Queste non sono questioni marginali. Il nostro _____ economico deve basarsi su criteri di rispetto dell'ambiente e dei _____ sociali. La Commissione fa sempre meno per proteggere i suoi cittadini da una visione dell'_____ che tende a mettere la crescita illimitata come obiettivo, ma questo ha dei costi in materia di _____ ambientale e di salute. Inoltre, se fossi Presidente continuerei la battaglia con la quale ho cominciato la mia vita _____ e cioè la Costituzione europea. Poi mi farei promotrice di iniziative che favoriscano la trasparenza delle istituzioni e il dialogo con i cittadini, senza dimenticare politiche in grado di facilitare l'_____ di un vero senso di appartenenza all'Europa, come gli scambi _____, artistici, di ricerca e tra lavoratori."

5 Lessico - Eco test

Rispondi alle domande e scopri in che misura rispetti l'ambiente. Somma il punteggio ottenuto e leggi il profilo che ti corrisponde.

Rispetti l'ambiente?	no mai	quasi mai	sì a volte	sì sempre
Compri prodotti provenienti da agricoltura biologica?	1	2	3	4
Prendi spesso la macchina per recarti a lavoro?	1	2	3	4
Quando è possibile ti sposti a piedi, in bicicletta o in autobus?	1	2	3	4
Fai la raccolta differenziata dei rifiuti?	1	2	3	4
Compri l'acqua nelle bottiglie di plastica?	4	3	2	1
Spegni le luci che non ti servono quando esci da una stanza?	1	2	3	4
Fai attenzione alla quantità di detersivi che usi quando fai le pulizie?	4	3	2	1
Eviti gli sprechi d'acqua?	1	2	3	4

da 26 a 32: Rispetti l'ambiente e te ne preoccupi.
da 19 a 25: Ti preoccupi dell'aspetto estetico e della pulizia dell'ambiente.
da 12 a 18: Potresti migliorare.
fino a 11: Devi affrontare seriamente il problema!

6 Lessico - Chi lo pensa?

Leggi che cosa dicono queste persone.

Anna: «Adesso basta, me ne vado.»
Francesco: «E adesso come sposto l'automobile?»
Paolo: «Il tempo non passa più senza un libro.»
Alberto: «Mi piaceva quel posto, ma che turni terribili!»
Sandra: «Per fortuna sono potuta partire.»

Adesso scrivi il nome di chi ha pensato queste frasi:

1. Se avessi portato con me gli occhiali avrei potuto leggere. _____
2. Se il distributore fosse stato aperto avrei fatto benzina. _____
3. Se fosse stato meno stressante non avrei lasciato il mio lavoro. _____
4. Se la radio avesse confermato la notizia dello sciopero avrei annullato il viaggio. _____
5. Se fosse arrivato entro le 4 sarei rimasta ad aspettarlo. _____

7 Frasi ipotetiche - Barzellette
Abbina i disegni alla frase adatta.

a.

b.

c.

d.

e.

1. Se si sposasse farebbe felice una persona: me.
2. Le dispiacerebbe scrivermelo su un foglietto? Le mie amiche non mi crederebbero mai se raccontassi che ho guidato a questa velocità …
3. Sarei contento se ne aveste uno più educato.
4. Stefano, se tu non avessi impegni importanti, stasera potremmo andare in discoteca.
5. Arturo, ti dispiacerebbe se andassi un paio di giorni da mia madre?

8 Frasi ipotetiche - Come evitare sprechi d'acqua
*Completa le frasi con i verbi al **congiuntivo imperfetto** e al **condizionale presente**.*

1. Se *(tu-farsi)* _____ il bagno in vasca *(consumare)* _____ il triplo dell'acqua rispetto ad una doccia.
2. Se *(voi-scegliere)* _____ di fare una doccia *(risparmiare)* _____ fino a 28.000 litri di acqua all'anno.
3. Se *(io-usare)* _____ acqua non potabile per innaffiare i giardini e li *(innaffiare)* _____ di sera, quando il sole è calato non *(sprecare)* _____ acqua potabile.
4. Se *(loro-usare)* _____ miscelatori d'aria nei rubinetti e nelle docce *(ridurre)* _____ il consumo di acqua e *(arrivare)* _____ a risparmiare fino a 6.000 litri di acqua all'anno senza modificare le loro abitudini.
5. Se *(noi-innaffiare)* _____ vasi di piante e fiori con l'acqua in cui è stata lavata la frutta e la verdura *(evitare)* _____ sprechi di acqua.
6. Se *(Lei-installare)* _____ un sistema di scarico differenziato o con pulsante di "stop" oppure *(regolare)* _____ il galleggiante della cassetta, questo Le *(permettere)* _____ di risparmiare fino a 26.000 litri di acqua all'anno.
7. Se *(tu-usare)* _____ attentamente la lavatrice e la lavastoviglie *(contribuire)* _____ al risparmio idrico ed elettrico.
8. Se non *(io-lasciare)* _____ il getto dell'acqua aperto mentre mi lavo i denti e per risciacquare i denti *(utilizzare)* _____ un bicchiere *(sprecare)* _____ meno acqua.

Da tempo Luciana sogna una macchina sportiva ed un giorno le capita fra le mani un catalogo con la foto di una Barchetta Fiat. Cosa sogna?

Se *(potere)* _____ comprarmi questa macchina, ne *(essere)* _____ felicissima! Prima di tutto *(partire)* _____ per un lungo viaggio in autostrada e *(potere)* _____ divertirmi ad andare a 200 km all'ora. Poi *(girare)* _____ un po' dappertutto. In estate *(essere)* _____ bellissimo. *(Tirare)* _____ giù la capote* e *(avere)* _____ il vento fra i capelli. Sì, già, ma se *(fare)* _____ freddo? Beh, allora *(mettersi)* _____ un bel maglione e comunque non *(lasciare)* _____ certo la Barchetta in garage! Che macchina meravigliosa! Ripensandoci, però, il bagagliaio è un po' piccolo…
Se *(avere)* _____ tante valigie come *(fare)* _____? Quello dei bagagli forse *(essere)* _____ un problema?
Mah, forse *(fare)* _____ meglio a pensare a qualcosa di più pratico. Forse *(dovere)* _____ risparmiare i soldi? Già, i soldi. A proposito, mica li ho per comprarmi la Barchetta. D'altra parte se ogni tanto non si *(sognare)* _____ …

* la capote = la parte superiore della macchina, il «tetto»

10 Frasi ipotetiche - Congiuntivo trapassato e condizionale passato
Completa le frasi della colonna di sinistra con una delle colonne di destra.

1. Se ci fossero stati ancora posti liberi,
2. Se Simone l'avesse invitata,
3. Se le avessero dato delle indicazioni più precise,
4. Se allora avessero accettato quel posto,
5. Se avessimo imparato l'italiano da bambini,
6. Se Einstein non avesse studiato fisica,
7. Se fosse rientrato a un'ora decente,
8. Se avessi bevuto di meno,

sua madre non si sarebbe arrabbiata. (a)
non ti saresti alzata con il mal di testa. (b)
non avrebbe vinto il Nobel. (c)
di certo avremmo comprato il biglietto. (d)
avrebbero avuto una vita più facile. (e)
non avremmo avuto tutte queste difficoltà. (f
Claudia avrebbe accettato con piacere. (g)
forse non si sarebbe persa. (h)

11 Frasi ipotetiche - Care Sandra e Ilaria…

Davide Dondio vuole scrivere una lettera di ringraziamento ad un'associazione di Milano che promuove gli scambi culturali e si è preso alcuni appunti. Aiutalo a completare la lettera come nell'esempio della prima frase. I verbi sono in ordine.

se ~~capitare~~ – ~~leggere~~, sapere, decidere / se prendere – essere, vivere, conoscere /
se andare – imparare, venire a contatto, fare / se frequentare – innamorarsi

```
e-mail:   becasse@becasse - info@becasse.it
          school.program@becasse.it


                                      Chicago, 11 dicembre 20…
Cara Sandra e Ilaria,
vi scrivo per ringraziarvi.
Se anni fa non mi fosse capitato fra le mani un opuscolo della BEC, non
avrei mai letto il vostro programma, non _____dell'esistenza
di questo tipo di associazioni e non _____ di trascorrere un
anno negli USA.
Se non _____ questa decisione, forse non _____ mai
_____ nel Kansas, non _____ lì e non _____
quella splendida famiglia di Marc e Audrey Mac Kinley che mi ha ospitato come
un figlio.
Se non _____ in America non _____ l'inglese,
non _____ con un'altra cultura e nuovi costumi e non
_____ la maturità americana. Se non _____ la
scuola a Topeka, non _____ di Mary, la mia attuale moglie, e
oggi non sarei padre felice del mio terzo bambino.
Grazie e auguri di buon lavoro!
Davide Dondio
```

12 Frasi ipotetiche - Se da giovane Luca avesse studiato di più…

Prosegui la catena, come nell' esempio.

da giovane Luca – *studiare di più/non essere bocciato*/proseguire gli studi,
prendere un diploma e poi una laurea/ottenere un posto di lavoro più interessante e
guadagnare di più/poter lavorare di meno e avere più tempo libero/poter riprendere a studiare

Se da giovane Luca avesse studiato di più, non sarebbe stato bocciato.*

Se non fosse stato bocciato _____
_____
_____
_____
_____ .

* *essere bocciati = non passare/non essere ammessi alla classe successiva, dover ripetere l'anno scolastico*

Noi e gli altri

1 Lessico
Completa le frasi con le qualità ed i difetti della lista (non sono in ordine).

| generosità | impazienza | avarizia | ipocrisia | simpatia | modestia |

1. Dicono che l' _____ sia un difetto tipico degli Scozzesi e dei Liguri.
2. Franco è di una _____ unica: è allegro, scherza volentieri e mette tutti di buon umore.
3. Nonostante la sua intelligenza e la sua preparazione è di grande _____ e non tratta gli altri dall'alto in basso.
4. Una delle sue grandi qualità è la _____. Infatti pensa più agli altri che a se stessa.
5. Quanto mi innervosisce la sua _____! Dice una cosa e ne pensa un'altra.
6. Mamma mia, che _____ ! Hai proprio tanta fretta? Non puoi aspettare un attimo?

2 Lessico
Completa con le parole giuste. Se le risposte saranno esatte troverai l'inizio di un proverbio italiano.

All'inizio gli aveva trovato solo qualità: lodava la sua ▮▮ S P O _____ T __, («Ha sempre tempo per gli altri.» – sosteneva), il suo _____▮ I S ▮ («Vede tutto rosa.»), la sua S __ ▮ E R ____ («Dice solo quello che pensa!»), la sua G E ____▮____ («Regala tutto a tutti.») e la sua ___▮___ B I L ____ («Come mi capisce!»).
Con il tempo non solo ha cambiato idea, ma sostiene che è diventato l'esatto contrario. Si lamenta del suo __ G O _____, del suo _____, della sua __ P O _____, della sua __ V A _____ e della sua _____ N S I _____!

Soluzione: ▮▮▮▮▮ ▮▮▮ chi vai e ti dirò chi sei.
Significa che si può giudicare qualcuno dagli amici che ha e dalle persone che frequenta.

3 Combinazioni
Unisci le affermazioni con le reazioni appropriate.

1. Buttiamo il maglione?
2. Non aspetta mai più di 10 minuti.
3. Non mette mai via le sue cose.
4. Ha un'opinione esagerata di sé.
5. Non accetta mai le idee degli altri.

a. Ma no, non è che sia poi così impaziente!
b. Ma no, non è che sia poi così intollerante!
c. Ma no, non è che sia poi così disordinato!
d. Ma no, non è che sia poi così scolorito!
e. Ma no, non è che sia poi così superbo!

4 Combinazioni
*Unisci gli **aggettivi** opposti.*

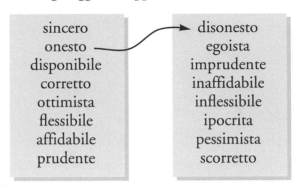

sincero	disonesto
onesto	egoista
disponibile	imprudente
corretto	inaffidabile
ottimista	inflessibile
flessibile	ipocrita
affidabile	pessimista
prudente	scorretto

paziente	avaro
generoso	debole
sensibile	impaziente
serio	insensibile
coraggioso	intollerante
modesto	superbo
forte	superficiale
tollerante	vigliacco

5 Lessico
Completa il testo con le parole della lista. Le parole non sono in ordine.

tavola	scatoloni	coda	favole	anniversari	ristorante	estinzione
portiera	supermercato		principe	Casanova	conto	situazione

C'era una volta il _____ azzurro... carino, premuroso, pronto a soddisfare ogni volontà della donna: l'uomo galante oggi sta solo nelle _____.

L'uomo cavaliere non esiste più. Il galante, cortese e ben educato "principe azzurro", quello che apre la _____ dell'auto per far salire la sua dama, che prima di sedersi a _____ le porge la sedia, che si ricorda di compleanni e _____ è una razza in via d'_____.

Tanto per capire meglio la _____ basta fare mente locale e guardare che cosa accade quotidianamente. Per esempio al _____ : a quale donna non è capitato di trovarsi in _____, di fretta, e incontrare un gentiluomo che anziché farla passare avanti fa finta di niente? Per non parlare dell'ambiente di lavoro dove al cosiddetto "gentil sesso" non viene risparmiata nessuna fatica, nemmeno di sollevare _____ pesanti un quintale. Al _____ quasi più nessuno versa da bere alla propria convitata e tantissime volte capita di vedere una lei che paga il _____ al posto di lui. _____ ma dove sei finito?

Alice Sandolini
(www.news2000.libero.it)

6 Indicativo o congiuntivo?

Completa le frasi coniugando i verbi al modo e al tempo opportuno.

1. Secondo me Serena (*stare*) _____ meglio con la vecchia pettinatura!
2. Penso che il suo accento non (*essere*) _____ poi così male!
3. Mah, credo che i tuoi (*rimanerci*) _____ male perché si trattava di un oggetto riciclato…
4. Non immaginavo che queste scarpe (*essere*) _____ così scomode!
5. Sai, secondo me (*fare*) _____ tutti quegli errori perché non avevi studiato abbastanza.
6. Non sono sicuro, ma credo che ieri Luigi (*andare*) _____ alla festa da solo.
7. Scusatemi, ma io credevo che (*voi - mangiare*) _____ già _____ .
8. Secondo me del film che abbiamo visto Aldo non (*capire*) _____ niente!
9. Ero convinto che Sandro (*visitare*) _____ quel paese qualche anno fa.
10. La casa dove andremo, (*essere*) _____ su due piani e (*avere*) _____ un grandissimo giardino.

7 Congiuntivo

*Completa le frasi coniugando i verbi al tempo opportuno del **congiuntivo**.*

1. Ah, non l'avete ancora visto? Pensavo che l' (*incontrare*) _____ .
2. Quando mi restituisci il libro? Pensavo che non ti (*servire*) _____ più.
3. Il motorino di Luna? Mah, credo che non l' (*avere*) _____ più. Mi pare che l' (*vendere*) _____ proprio la settimana scorsa!
4. Ah, è una persona che ti piace? Non pensavo che tu l' (*ammirare*) _____ tanto.
5. Hai eliminato il vaso della zia? Ma pensi davvero che (*essere*) _____ giusto buttar via tutto?
6. Ah, è già arrivata? Meno male. Temevo che (*dimenticarsi*) _____ dell'appuntamento!
7. Vedi le finestre chiuse da giorni? Penso che (*loro - partire*) _____ per le ferie.

8 Congiuntivo

*Completa le frasi coniugando i verbi al tempo opportuno del **congiuntivo**.*

1. Spero che ieri (*tu - fare*) _____ ordine o che lo (*fare*) _____ oggi.
2. Pensavamo che la lezione (*finire*) _____ prima.
3. Non ritengo che (*avere*) _____ tutte le manie che le attribuisci!
4. Pensavo che tu ieri alla festa non (*mettere*) _____ la minigonna, anzi che alla tua età tu non la (*indossare*) _____ proprio più!
5. Come potevo immaginare che il libro vi (*servire*) _____ ancora? Io pensavo che l' (*leggere*) _____ già _____ !
6. Credevo che ieri lui (*tornare*) _____ già _____ da Roma e che mi (*stare*) _____ chiamando da casa sua quando ha telefonato.

9 Congiuntivo

*Completa le frasi coniugando i verbi al tempo opportuno del **congiuntivo**.*

1. Esci prima che (*finire*) _____ lo spettacolo?
2. È così simpatico che, ovunque (*andare*) _____ e in qualunque situazione (*trovarsi*) _____, fa amicizia con tutti.
3. Il padre l'aveva chiamata Luna molto prima che la cultura alternativa (*dare*) _____ diffusione a quel nome.
4. Qualunque cosa (*fare*) _____, non era mai soddisfatto di sé.
5. In qualunque luogo (*essere*) _____, si trovavano bene.
6. Non sapevo niente prima che la radio (*trasmettere*) _____ la notizia.
7. Ovunque (*trovarsi*) _____, sappiamo adattarci alla situazione.
8. Ovunque (*andare*) _____, mi trovo sempre bene.

10 Congiuntivo imperfetto

*Completa il testo con i verbi al **congiuntivo imperfetto**.*

Vorrei che mia sorella la (*finire*) _____ di mettersi sempre le mie cose. Mi farebbe piacere che almeno me lo (*dire*) _____ quando si prende la mia maglia preferita (e sempre quando ho un appuntamento dove non voglio fare una brutta figura)! Preferirei, se proprio non può farne a meno, che (*prendersi*) _____ i miei vestiti vecchi e scoloriti! E poi non solo mia sorella mi fa arrabbiare! Vorrei pure che i miei fratelli mi (*dare*) _____ una mano nei lavori di casa, perché con la scusa che sono la più grande devo fare tutto io! Mi piacerebbe che non (*alzare*) _____ il volume dello stereo ogni volta che mi metto a studiare e che mi (*chiedere*) _____ il permesso di entrare in camera mia quando sono al telefono con le amiche.

11 Congiuntivo imperfetto

*Completa il testo con il **congiuntivo imperfetto** dei verbi.*

Il mio uomo ideale non deve mai farmi sentire sola, deve farmi sentire protetta, deve farmi capire che posso sempre contare su di lui, e deve pormi al centro del suo mondo...Vorrei che non (*riuscire*) _____ a stare senza vedermi. Vorrei che per lui (*contare*) _____ sempre la mia opinione, ma che (*portare*) _____ avanti la sua con convinzione. Vorrei che non (*lasciarsi*) _____ influenzare da estranei, che li (*tenere*) _____ fuori dalla nostra vita... Che (*avere*) _____ il senso del dovere, del rispetto per gli altri, e per se stesso. Vorrei che (*essere*) _____ abbastanza geloso. Che (*ricordare*) _____ sempre il mio compleanno, che mi (*fare*) _____ sentire sempre bene, come la sua regina... Che (*telefonare*) _____ per sapere come sto e cosa sto facendo, per dirmi che mi ama...Vorrei che mi (*dire*) _____ sempre le frasi più dolci, le cose più belle... Che mi (*baciare*) _____ e mi (*abbracciare*) _____ di continuo, che mi (*desiderare*) _____ sempre.

12 Condizionale presente o congiuntivo imperfetto?

*Completa la lettera coniugando i verbi al **condizionale presente** o al **congiuntivo imperfetto**. I verbi non sono in ordine.*

arrivare	volere	conoscere	essere	dare	dire	fare

diventare	volere	piacere	portare	potere	venire	preferire	fare

Caro Fabio,

hai tempo sabato prossimo? _____ che tu _____ a casa mia a festeggiare la mia prossima partenza. Mi _____ piacere se tu _____ le diapositive del nostro ultimo viaggio in Nuova Zelanda che la mia amica Sandra _____ vedere. Lei a Pasqua andrà a Auckland e mi ha chiesto se avevo dei dépliant. Io li ho già buttati e _____ contenta se tu le _____ prestare i tuoi (so che conservi sempre tutto!). E poi mi _____ che tu finalmente la _____ e _____ amici! Se non ti dispiace, _____ che non _____ niente a Carlo. Sai che si offende se non lo si invita, ma sabato siamo già in troppi. D'accordo allora? Un bacione e a presto.

Sara

P.S.: Tutti verranno verso le 7 e si cenerà alle 8. Mi _____ davvero piacere se tu non _____ in ritardo, se insomma, almeno per una volta, _____ importanza alla qualità che più ammiro: la puntualità!

Grazie

13 Congiuntivo, condizionale o indicativo?

Completa la conversazione coniugando i verbi al modo e al tempo opportuno.

● Ma è possibile che ogni volta che dobbiamo partire si (*dovere*) _____ litigare? Non sapevo che tu (*avere*) _____ la mania dei viaggi organizzati.

◆ Sai benissimo che quando non lavoro voglio riposare e credo che questo (*essere*) _____ il modo più comodo per rilassarsi.

● Secondo me invece (*essere*) _____ molto più divertente girare in camper e ritengo che così (*esserci*) _____ molta più libertà.

◆ Sì, ma per me trovare tutto pronto e organizzato (*essere*) _____ il massimo. Non dover pensare a come riempire le ore è una gran fatica evitata.

● Ma dai, in vacanza l'importante è che si (*vedere*) _____ tante cose nuove e che si (*potere*) _____ girare in posti non turistici, no? Importante è anche andare e tornare ogni giorno a qualsiasi ora senza dover rispettare gli orari dei tour organizzati. Pensavo che le ultime ferie ti (*piacere*) _____. Ricordi che belle?

◆ Non parlarmi delle scorse vacanze! Sai benissimo che non abbiamo fatto altro che discutere! Credevo che te ne (*ricordare*) _____!

● Allora sai che ti dico? Se la pensi così temo proprio che il prossimo viaggio (*essere*) _____ meglio che io lo (*fare*) _____ da sola!

14 Aggettivi

*Completa l'articolo con gli **aggettivi** della lista. Gli aggettivi sono al maschile singolare e non sono in ordine.*

vero	proprio	facile	drastico	americano	anziano	forte

coraggioso	prestigioso	italiano	nuovo

Harvey Mansfield, _____ professore di Harvard dichiara: «Cashmere, mutande di seta, abiti made in Italy. Cinquant'anni fa le donne avrebbero riso di fronte a un uomo che si compera il guardaroba nelle boutique _____. Lo Stivale era il paese delle commozioni _____, le donne _____ volevano un uomo maschile, non un debole».

Un uomo come John Wayne, Humphrey Bogart, Ernest Hemingway. Ma dove trovarli, oggi, così _____, _____ e maschili? La risposta di Mansfield è in un _____ saggio intitolato Manliness («Mascolinità»).

Mansfield, professore di Scienza del governo, a 73 anni ha appena pubblicato il suo saggio presso la _____ casa editrice Yale Press, lanciando l'allarme: l'uomo _____ è in via d'estinzione, strangolato da un femminismo che in quarant'anni ha fatto solo danni.

«Le femmine oggi vogliono comportarsi come i maschi e i maschi non sanno come reagire», ha dichiarato il professore. Che suggerisce una soluzione _____: vietare alle donne di andare a lavorare, invogliarle a tornare al ruolo di madre, moglie e casalinga.

«Guardatevi in giro - prosegue - gli uomini si vergognano ad aprire le porte alle donne, a essere cortesi, a fare i cavalieri... e soprattutto a proteggere le _____ compagne».

(www.ilgiornale.it)

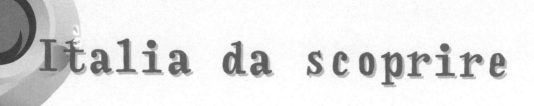

Italia da scoprire

1 Lessico - Luoghi in pericolo
Decidi quali parole mancano.

Alcuni lettori hanno segnalato ad un quotidiano italiano i luoghi a loro cari, minacciati __1__ incuria dello Stato. Così, ad esempio, si cita la Val Jumela, nel cuore delle Dolomiti, __2__ una lettrice è particolarmente legata. Lì la speculazione edilizia, finora, non ha avuto __3__ su quel paradiso, ma bisogna fare __4__ per rispettare quel luogo che non __5__ di ulteriori speculazioni perché __6__ già di strutture turistiche.

1. a. per l'   b. dall'   c. all'
2. a. a cui   b. di cui   c. su cui
3. a. migliore   b. il meglio   c. la meglio
4. a. il tutto   b. per tutto   c. di tutto
5. a. necessita   b. serve   c. bisogna
6. a. abbonda   b. manca   c. è povera

2 Lessico - I luoghi del cuore
Completa i testi con le parole della lista.

| mare | marea | chiesa | strada | ricordo | abbazia | mulini | acqua | prodotti | isole | atmosfera | luoghi |

MOZIA (Sicilia)

Uno dei _____ più belli e più affascinanti della nostra Sicilia è Mozia, una delle tre _____ nello stagno di Marsala*. Bisogna arrivarci in una giornata di sole, magari di pomeriggio e godersi il tramonto. [...] Si rimane a bocca aperta davanti ai _____ a vento bianchi con la punta rossa con davanti il mare e poco distante l'isola di Mozia. Nelle giornate di bassa _____ ci si può arrivare a piedi, camminando nell'_____. È l'unica isola al mondo (fondata dai Fenici nell'VIII sec. a. C.) ad avere una _____ sommersa antichissima che fino a qualche anno fa veniva ancora usata con tanto di carretto e cavallo.

La più grande laguna della Sicilia (nella punta estrema occidentale dell'isola), lunga 11 km e larga 3 e che comprende le tre isolette di Mozia, S. Maria e La Scola.

ABBAZIA DI SAN GALGANO (Toscana)

Tornando dal palio di Siena avevo deciso di passare per il _____. All'improvviso mi ero ricordato che non lontano dalla costa c'era un'_____ con accanto una chiesa semidiroccata. Ho deciso di fare una deviazione e quando siamo giunti sul posto ho potuto constatare che l'_____ era ancora più magica che di giorno. Attraverso le finestre della _____ filtrava una splendida luna piena e tutt'intorno c'erano decine di lucciole. Non ho portato a casa i favolosi _____ dell'abbazia ma in compenso il _____ di quella sera è sempre rimasto con me.

3 *Ci si*
Abbina le frasi.

1. Dopo un giornata faticosa
2. Se si frequenta la scuola
3. Alle comodità
4. Se non si ha quella calda
5. Dopo una bella doccia
6. In Italia
7. A volte ai giardinetti

ci si

separa sempre di più. (a)
alza verso le sette. (b)
azzuffa coi compagni. (c)
abitua facilmente. (d)
riposa volentieri. (e)
sente proprio bene. (f)
lava con l'acqua fredda. (g)

4 *Si o ci si?*
Completa con il verbo e la forma impersonale si o ci si.

Se (*studiare*) _____ troppo, (*stancarsi*) _____ in fretta. È ben vero che
poi (*potersi*) _____ rilassare ascoltando della buona musica o riposandosi un po',
ma a volte la stanchezza è tale che, anche se (*fare*) _____ una breve pausa, spesso
non (*riacquistare*) _____ le energie spese.
E poi, mi chiedo, se non (*divertirsi*) _____ alla nostra età, quando (*doversi*)
_____ divertire?

E ora rifletti e completa.

La forma impersonale *ci si* viene usata con i verbi _____ , anche se accompagnati
da un verbo modale (come _____ o _____).
Dopo *ci si* il verbo è sempre nella 3ª persona _____ .

5 *Si* impersonale
*Sostituisci nelle seguenti frasi **uno/qualcuno/la gente/tutti/le persone** con ci si, come nell'esempio.*
Attenzione ai tempi e ai modi verbali.

Es: Uno / Qualcuno / La gente si abitua. – Tutti / Le persone si abituano facilmente.
Ci si abitua facilmente.

1. Ultimamente tutti si sono abituati alle comodità.
   Ultimamente _____ alle comodità.
2. Se qualcuno si impuntasse e traducesse "topo" per "mouse", nessuno capirebbe.
   Se _____ e _____ "topo" per "mouse", nessuno capirebbe.
3. Le persone si lamentano spesso di molte cose.
   _____ spesso di molte cose.
4. Pensando troppo alla grammatica, spesso uno si blocca.
   Pensando troppo alla grammatica, spesso _____ .
5. Se uno si arrendesse subito, non otterrebbe niente.
   Se _____ subito, non _____ niente.
6. Quando la gente si trasferisce all'estero, dovrebbe imparare la lingua del Paese ospitante.
   Quando _____ all'estero, _____ imparare la lingua del paese ospi-
   tante.
7. Se le persone non si fidano nemmeno degli amici, allora …
   Se non _____ nemmeno degli amici, allora …

6 *Si* impersonale - Singolare o plurale?
Scegli il verbo opportuno e completa la desinenza.

▼ Ho sentito che al party si *(è – sono)* bevut____ un po' troppo, eh? Lo sai che non mi piace!

■ Beh, intanto non è vero. Si *(è – sono)* bevut____ solo tre bottiglie di vino, ma si *(è – sono)* mangiat____ dieci pizze! E poi si *(è – sono)* giovan____ una sola volta!

▼ La verità è che alla vostra età non si *(è – sono)* mai content____ . Prima vi bastava incontrarvi, mangiare qualcosa insieme, chiacchierare. Bisogna essere onesti con se stessi!

■ D'accordo, ma guarda che non abbiamo fatto niente di male e che se voi adulti la pensate sempre così, è logico che poi ci si *(senta – sentano)* incompres____ !

7 Gerundio
*Completa con il verbo adatto al **gerundio**.*

andare	ascoltare	fare	ripetere	sbagliare	tradurre	uscire	vedere

1. _____ quel film, mi sono messa a piangere.
2. È noto che _____ si impara.
3. _____ di casa abbiamo incontrato i nostri amici.
4. _____ ad alta voce i vocaboli, mi sembra di migliorare la mia pronuncia.
5. _____ gli esercizi d'italiano, mi concentro molto.
6. _____ in centro, incontravo sempre Eva.
7. Studio sempre _____ la radio.
8. _____ ho sempre bisogno di un vocabolario.

*Rispondi ora alla seguente domanda: che funzione ha il **gerundio** in tutte queste frasi? Causale (= perché)? Modale (= come)? Temporale (= quando)?*

8 Gerundio - Vedendola correre in quel modo
*Completa le frasi con il **gerundio** ed il **pronome** adatto come nell'esempio.*

Es: Ho incontrato Viola e, *(vedere)* **vedendola** correre in quel modo, ho capito che era in ritardo.

1. Stamattina ho incontrato Jole che, *(vedere)* _____ dopo tanto tempo, mi ha salutato calorosamente.
2. Ieri pomeriggio Sandro stava cercando di risolvere un problema, ma *(fare)* _____ ha capito che la matematica non era proprio la sua materia.
3. *(Ascoltare)* _____ ho capito perché si è diplomato con la votazione di 100/100.
4. *(Rivedere)* _____ ho capito d'essere ancora innamorato di lei …
5. Ieri riguardavo i miei vecchi quaderni e *(riprendere)* _____ in mano mi è venuta una nostalgia!
6. *(Rileggere)* _____ mi sono accorto che la mia e-mail era piena di errori.
7. *(Ripensare)* _____ , il problema non era poi così difficile!
8. *(Richiamare)* _____ ho voluto semplicemente farti capire che non ce l'avevo con te.

Italia da scoprire

14

9 Gerundio e pronomi personali

*Sostitusci le espressioni <u>sottolineate</u> con il **gerundio**.*

(1) <u>Con il suo lavoro</u> nella Polizia Barbara Bonanni ha incontrato diverse persone curiose e fantasiose. Un giorno, (2) <u>mentre ferma</u> un automobilista, si accorge che quello ha in mano un telefonino. «Scusi, eh» - gli fa (3) <u>mentre lo guarda</u> seria - «Lei sa benissimo che è vietato.» E l'altro, quasi (4) <u>come se piangesse</u>: «Lo so che Lei mi ha visto col cellulare in mano, ma Le giuro che non stavo parlando: ascoltavo e basta!».

Un altro giorno, poi, blocca un signora che, (5) <u>visto che non rispetta</u> il semaforo, rischia di provocare un incidente. (6) <u>Mentre la ferma e le chiede</u> i documenti, le dice nervosamente: «Signora, guardi che è passata col rosso!» E l'altra, (7) <u>come per giustificarsi</u> del suo comportamento: «Sono passata col rosso, è vero, ma era quasi verde o al massimo tendente al giallo.»

Queste e tante altre scuse sono state raccolte in un libro e la Bonnani, (8) <u>mentre lo scriveva</u> e poi (9) <u>mentre lo offriva</u> a noi lettori, aveva uno scopo: quello di ricavare dei soldi che andranno in beneficenza. Infatti serviranno a costruire un rifugio per cani abbandonati. «Noi della Polizia Stradale – spiega – troviamo molti animali abbandonati . (10) <u>Se guadagnerò</u> qualcosa contribuirò alla creazione di un centro per quelli che sono lasciati sulle vie urbane ed extraurbane da padroni senza cuore».

1. _____ ;   6. _____ *e* _____

2. _____ ;   7. _____

3. _____ ;   8. _____

4. _____ ;   9. _____

5. _____ ;   10. _____

<u>Sottolinea</u> *la risposta esatta.*

I pronomi personali (*seguono, precedono*) sempre il gerundio.

10 Gerundio presente o passato?

*Sostituisci le frasi causali usando il **gerundio presente o passato**, come negli esempi.*

Es: <u>Visto che era</u> molto stanco, ha deciso di restare a casa.
   ___*Essendo*___ molto stanco, ha deciso di restare a casa.

   <u>Visto che ha studiato</u> molto, adesso ha solo voglia riposarsi.
   ___*Avendo studiato*___ molto, adesso ha solo voglia riposarsi.

1. Visto che si è diplomata con una votazione molto alta, ha trovato subito un posto.

2. Siccome non ero bravo in matematica, dovevo concentrarmi più degli altri.

3. Siccome non aveva mai avuto il coraggio di mettersi in proprio, ha continuato a lavorare come dipendente.

4. Oggi sono stressato perché ieri ho lavorato troppo.

5. Siccome conosce molto bene l'inglese, non avrà difficoltà a trovare un lavoro.

6. Visto che aveva deciso di passare una settimana in montagna, si comprò un paio di sci.

7. Siccome ho capito l'uso del gerundio, ho fatto questo esercizio senza grossi problemi.

11 Forma passiva con il verbo *andare*
*Sottolinea le frasi in cui **andare** può essere sostituito con un passivo e riscrivile, come nell'esempio.*

Es: Le auto <u>vanno lasciate</u> nei parcheggi.   >   *... devono essere lasciate*

1. La questione andrà discussa in seguito.   _____
2. La casa è andata distrutta.   _____
3. Il suo comportamento andava corretto prima. _____
4. La lettera è andata persa.   _____
5. I tuoi colleghi andrebbero invitati!   _____

12 Forma passiva con il verbo *essere* o *andare*
*Completa con il passivo di **essere** o **andare**.*

Per arrivare a Orta (*prendere*) _____ l'autostrada A8 dei Laghi, uscita Arona. Per evitare problemi a chi non la conosce, (*dire*) _____ subito _____ che il centro della cittadina è costituito da una zona pedonale; quindi è logico che le macchine non possano (*utilizzare*) _____ e (*lasciare*) _____ nei parcheggi fuori dell'abitato. A Orta c'è molto da vedere. Il Palazzo più interessante, che (*affrescare*) _____ nel '500, è quello della Comunità, mentre la Scalinata della Motta, che (*costeggiare*) _____ da begli edifici, costituisce la parte superiore della città su cui si può ammirare la Chiesa di Santa Maria Assunta. Belli anche i negozi. Non può mancare una visita a Scriptorius e a Penelope che (*fare*) _____ assolutamente _____ se amate i libri antichi e i tessuti artigianali. Nella zona intorno al lago si possono poi fare diverse attività sportive, tra cui lunghe gite in bicicletta (le informazioni sul noleggio (*fornire*) _____ dallo 0322/ 967415). Amate camminare? Molte sono le opportunità che vi (*offrire*) _____ . Ma la passeggiata che non (*evitare*) _____ davvero _____ è quella che porta al colle della torre di Bucciona.

13 Forma passiva - Consigli per gli studenti
*Sottolinea prima tutti i **passivi**. Sostituisci poi la forma con **essere** o **venire** con la corrispondente forma di **andare**, come nell'esempio. Attenzione: la trasformazione non è possibile in tutte le frasi!*

Es: Il compito <u>deve essere fatto</u> per domani. > Il compito *va fatto* per domani.

Consigli per gli scolari:
Ricordate che bisogna porsi degli obiettivi chiari e realistici. Che più ascolterete meglio parlerete. Che è bene leggere testi in cui la lingua viene usata in maniera naturale (giornali, radio, TV). Che i vocaboli devono essere studiati a piccole dosi e sempre con l'articolo. Che deve essere seguito il proprio ritmo personale. Che non ogni singola parola deve essere capita. Che a volte devono essere memorizzate frasi intere, almeno quelle che pensate vi serviranno più spesso. Che gli esercizi scritti sono molto importanti e che quindi devono essere fatti tutti quelli che vengono assegnati dal professore. Non ha dunque senso che vengano copiati da un compagno il pomeriggio prima o durante una pausa a scuola! Che non dovete avere paura né di fare errori né delle novità. Ricordate infine che i vostri insegnanti hanno una lunga esperienza e che quindi i loro consigli dovrebbero essere seguiti se non altro per questo (a parte il fatto che i voti devono essere dati e quindi …).

Test 4

1 Aggettivi e avverbi - Figli mammoni? No grazie! **.../24**

Scegli se completare il testo con i seguenti **aggettivi**, *opportunamente concordati, o con gli* **avverbi** *da essi derivati. Gli aggettivi sono in ordine.*

sentimentale	professionale	felice	contento	sicuro	vero	certo	ultimo
rapido	lontano	facile	decoroso	medio	basso	capace	coraggioso
autonomo	ipotetico	ipotetico	falso	felice	forte	solido	nuovo

Quante volte avete sentito in tv, tra un'intervista e l'altra, il tema dei figli mammoni? Bravi ragazzi, magari che hanno già passato i trenta da un pezzo, _____ e _____ realizzati, ma che continuano a vivere _____ e _____ in casa dei genitori?

Ma siamo _____ che l'Italia sia _____ il paese dei mammoni? O meglio, siamo _____ che questi ragazzi si ritrovano a vivere ancora in famiglia per loro scelta, per comodità?

Andiamo per ordine. È noto a tutti che negli _____ anni la situazione del mondo del lavoro è andata _____ cambiando; i tempi d'oro del posto fisso e stipendio assicurato a vita sono ormai un _____ ricordo.

Negli anni d'oro, gli anni 60, quelli dove sono cresciuti i nostri genitori, il lavoro si trovava _____ e con un buon mestiere si aveva la certezza di vivere _____; le persone erano in grado di mantenersi e progetti come il matrimonio erano visti con minor timore di oggi. Tanto è vero che _____ l'età in cui ci si sposava era più _____ di oggi.

Torniamo ai giorni nostri. Ci si ritrova trentenni _____, alle spalle poca esperienza e tanto studio, un lavoro che un mese c'è e l'altro no, uno stipendio che va a singhiozzo. Adesso qualcuno sarebbe così _____ da spiegarci come potrebbe, un giovane in questa situazione, pensare di vivere _____, con l'affitto che c'è tutti i mesi, le altre spese da sostenere (bollette, cibo...), l'auto da mantenere ecc.? E come potrebbe pensare ad un _____ matrimonio o ad un _____ mutuo per l'acquisto della casa?

Quindi, abbandoniamo, per favore, questa _____ idea dei giovani mammoni, che vivono _____ con mamma e papà, incapaci di maturare e soddisfatti di rimanere legati al loro nido d'origine. Ridiamo dignità, invece, alle tante persone che sperano _____ di trovare una sistemazione _____ che dia loro la possibilità di fondare al più presto un _____ nucleo familiare!

(adattato da: www.girlpower.it)

2 Frasi ipotetiche e *si* impersonale - Come evitare gli sprechi d'acqua   (.../11)
Completa il testo coniugando i verbi con il modo ed il tempo opportuno e la forma impersonale **si/ci si** *come nell'esempio.*

Es: Se per i giardini, (*usare*) **si usasse** acqua non potabile e (*innaffiare*) **si innaffiasse** di sera quando il sole è calato, (*potere*) **si potrebbe** evitare di sprecare acqua potabile.

◆ Doccia o Bagno? Farsi il bagno in vasca significa consumare il triplo rispetto ad una doccia. Se (*farsi*) _____ la doccia anziché il bagno, (*risparmiare*) _____ fino a 28.000 litri di acqua all'anno.

◆ Ogni volta che si tira lo sciacquone se ne vanno almeno 10 litri d'acqua. Se (*installare*) _____ un sistema di scarico differenziato o con pulsante di "stop" oppure (*regolare*) _____ il galleggiante della cassetta, (*economizzare*) _____ fino a 26.000 litri di acqua all'anno.

◆ Un uso attento di lavatrici e lavastoviglie contribuisce al risparmio idrico ed elettrico: se (*utilizzare*) _____ a pieno carico, (*ridurre*) _____ la frequenza dei lavaggi, (*garantire*) _____ ai nostri elettrodomestici una minore usura, ma soprattutto (*preservare*) _____ l'ambiente.

◆ Un gesto quotidiano come lavarsi i denti può comportare enormi sprechi di acqua a causa della pessima e inutile abitudine di lasciare sempre il getto dell'acqua aperto. Se per risciacquare i denti (*servirsi*) _____ di un bicchiere, (*sprecare*) _____ meno acqua.

(adattato da: http://www.ciip.it)

3 Indicativo e congiuntivo - Com'è il tuo uomo ideale?   (.../15)
*Completa il testo coniugando i verbi all'**indicativo** o al **congiuntivo**.*

Anna: L'uomo ideale? Mi piacerebbe che (*essere*) _____ alto e moro, che (*avere*) _____ gli occhi azzurri e delle belle mani e non mi dispiacerebbe se (*portare*) _____ la barba.

Rita: Il mio uomo ideale? Non (*esistere*) _____. L'importante è che (*esserci*) _____ fiducia e rispetto, poi moro, biondo, rosso, alto, basso, occhi verdi o marroni (*andare*) _____ bene tutto. Però se (*dovere*) _____ dire tutta la verità, vorrei che (*essere*) _____ uno scrittore, per me sarebbe il massimo. Insomma, credo che l'aspetto fisico non (*essere*) _____ importante, di solito sono attratta dal carattere e il fisico (*venire*) _____ dopo, non basta da solo a suscitare il mio interesse. L'unica cosa che (*sapere*) _____ per certo è che mi (*piacere*) _____ gli uomini con il pizzetto; mi pare che qualunque uomo (*migliorare*) _____ con esso. E non sono particolarmente attratta dai biondi. Comunque mai dire mai.

Sara: Per me un uomo, per essere il mio ideale, dovrebbe essere moro, possibilmente con i capelli lunghi, fisico snello. Mi piace che (*essere*) _____ un po' peloso, che (*avere*) _____ un bel sorriso, due begli occhi e delle belle mani.

(adattato da: www.trekportal.it)

Test 4

4 Congiuntivo e condizionale - La donna ideale $(\dots/11)$

*Completa il testo coniugando i verbi al **congiuntivo presente** o al **condizionale presente**.*

Da un sondaggio condotto su 500 uomini tra i 20 e 60 anni emerge che gli italiani *(volere)* _____ una donna bruna e bella al naturale. Gli uomini intervistati desiderano che la loro compagna non *(avere)* _____ ritocchi di chirurgia per aumentare il seno (74%), che *(essere)* _____ capace di capire e di ascoltare il partner (90%) e che non *(occuparsi)* _____ del proprio uomo solo cucinando, lavando e stirando.

Inoltre l'indagine rivela che gli italiani sono molto esigenti; vogliono che la loro anima gemella *(essere)* _____ un mix tra modelli del passato (per il 71% degli intervistati *(dovere)* _____ essere dolce come lo erano le donne di una volta) e conquiste del presente (per il 79% *(dovere)* _____ infatti avere un lavoro e per l'89% *(dovere)* _____ essere capace di amministrare i propri soldi).

Altre qualità gradite all'uomo di oggi sono la capacità di far ridere (64%) e la malizia (57%) perché credono che tali caratteristiche, nei rapporti con l'altro sesso, *(fare)* _____ prendere alla donna l'iniziativa senza attendere il primo passo.

Infine preferiscono che una donna non *(avere)* _____ segreti e che *(raccontare)* _____ tutto al proprio uomo piuttosto che alle amiche.

(adattato da: http://it.news.yahoo.com)

5 Modi e tempi verbali - Se diventassi uomo sarei più autorevole? $(\dots/23)$

Nel seguente testo una giornalista della rivista "Grazia" si chiede se diventando un uomo verrebbe vista diversamente dai lettori di sesso maschile. Completa il testo coniugando i verbi al modo e al tempo opportuno.

Scommetto che se fossi uomo la gente mi *(dare)* _____ più retta. Se *(chiedere)* _____ un aumento di stipendio le persone lo *(considerare)* _____ una cosa normale, anzi, gli *(sembrare)* _____ strano che non lo *(fare)* _____. Invece *(essere)* _____ una donna. Come lo era lo scienziato Ben Barres, 52 anni, americano, oggi stimato condirettore dell'istituto di neurobiologia della Stanford University. Per 43 anni *(essere)* _____ una donna, la sottovalutata scienziata Barbara. Poi *(cambiare)* _____ sesso: "Quando *(essere)* _____ Barbara nessuno mi *(ascoltare)* _____, ora per tutti *(essere)* _____ un genio", *(dire)* _____ appena _____ al settimanale scientifico *Nature*.

Per quel che mi riguarda, infatti, alcuni cari lettori uomini non mi trattano bonariamente perché credono che *(essere)* _____ simpatica o perché mi *(considerare)* _____ una di famiglia.

Lo fanno perché *(vedere)* _____ già _____ più volte la mia foto qui accanto in cui indosso abiti femminili. Se *(portare)* _____ pantaloni neri, scarpe basse, *(assumere)* _____ un'aria grave e *(avere)* _____ i baffi, mi *(considerare)* _____ un pensoso intellettuale. Ma poiché *(mostrare)* _____ le gambe e *(portare)* _____ i tacchi, magari *(pensare)* _____ che questi articoli me li *(scrivere)* _____ mio zio. Ci siamo abituate.

(adattato da: http://grazia.blog.it)

Key to the tests

TEST 1

1. Pronomi diretti, indiretti e riflessivi (12) - La/L'[1], la/l'[2], si[3], si[4], si[5], gli[6], lo[7], si[8], Lo/L'[9], Lo/L'[10], -la[11], l'/la[12].

2. Passato prossimo e imperfetto (24) - ha[1] fissato[2-3], ho[4] visto[5-6], sono[7] rimasta[8-9], nascondeva[10], credevo[11], era[12], mi sono[13] accorta[14-15], potevo[16], ho[17] scritto[18-19], Abitava[20], era[21], erano[22], entrava[23], erano[24].

3. Futuro semplice (6) - porterà[1], avranno[2], dovranno[3], diffonderanno[4], diventerà[5], rallenteranno[6].

4. Imperativo informale / Imperativo formale (45) - Non usarli!/Non li usare[1-2-3], Non usateli![4-5-6], Non li usi![7-8-9], Sceglilo![10-11-12], Sceglietelo![13-14-15], Lo scelga![16-17-18], Applicala![19-20-21], Applicatela![22-23-24], La applichi![25-26-27], Evitale![28-29-30], Evitatele![31-32-33] Le eviti![34-35-36], Non abbronzarti/Non ti abbronzare![37-38-39], Non abbronzatevi![40-41-42], Non si abbronzi![43-44-45].

5. Pronomi semplici e combinati (8) - si[1], ci[2], ce li[3], si[4], ce le[5], dargli[6], metterci[7], da noi[8].

6. Comparativi e superlativi irregolari (5) - bene[1], ottimi[2], buoni[3], cattiva[4], migliore[5].

TEST 2

1. Indicativo - Passato e trapassato prossimo (16) - sono andato/a[1], avevo sentito[2], ero riuscito/a[3], ho capito[4], ero (mai) andato/a[5], è stata[6], era (da poco) tornata[7], ha raccontato[8], era rimasta[9], ha deciso[10], ha colpito[11], aveva pensato[12], ho vissuto[13], aveva cercato[14], ero domandato/a[15], sono tornato/a[16].

2. Pronomi relativi (11) - che[1], che[2], in cui[3], che[4], con cui[5], a cui[6], che[7], che[8], in cui[9], che[10], a cui[11].

3. Condizionale passato e indicativo passato prossimo (8) - avrebbe dovuto[1], sono stati[2], avrebbe (così) evitato[3], ha avuto[4], avrebbe intrapreso[5], avremmo vietato[6], avremmo promulgato[7], avremmo offerto[8].

4. Passato remoto (15) - cominciò[1], si stabilì[2], si appassionò[3], approvarono[4], partirono[5], scoprì[6], credette[7], si stabilì[8], organizzò[9], scoprì[10], costeggiò[11], ebbe[12], tornò[13], rimase[14], si spense[15].

TEST 3

1. Congiuntivo presente e passato (14) - siano[1], sia[2], si sentano[3], siano cresciuti[4-5-6], sappiano[7], si sentano[8], sia stata[9-10-11], credano[12], si vedano[13], provino[14].

2. Aggettivi e pronomi indefiniti (7) - nessuno[1], alcuni[2], nessuna[3], altri[4], tutte[5], qualche[6], nessuna[7].

3. Congiuntivo (16) - fosse[1], sia[2], rappresenti[3], dovesse[4], avessero capito[5-6-7], comprendano[8], possano[9], costituisca[10], abbia fatto[11-12-13], potesse[14], allinei[15], faccia[16].

4. Forma passiva (20) - sono presentati/vengono presentati[1-2-3], sono descritti/vengono descritti[4-5-6], sono considerati/vengono considerati[7-8-9], È stato divorato[10-11-12-13-14], È ambientato[15-16-17], è comunicato/viene comunicato[18-19-20].

TEST 4

1. Aggettivi e avverbi - Figli mammoni? No grazie! (24) - sentimentalmente[1], professionalmente[2], felici[3], contenti[4], sicuri[5], veramente[6], certi[7], ultimi[8], rapidamente[9], lontano[10], facilmente[11], decorosamente[12], mediamente[13], bassa[14], capaci[15], coraggioso[16], autonomamente[17], ipotetico[18], ipotetico[19], falsa[20], felicemente[21], fortemente[22], solida[23], nuovo[24].

2. Frasi ipotetiche e *si* impersonale - Come evitare gli sprechi d'acqua (11) - ci si facesse[1], si risparmierebbero[2], si installasse[3], si regolasse[4], si economizzerebbero[5], si utilizzassero[6], si ridurrebbe[7], si garantirebbe[8], si preserverebbe[9], ci si servisse[10], si sprecherebbe[11].

3. Indicativo e congiuntivo - Com'è il tuo uomo ideale? (15) - fosse[1], avesse[2], portasse[3], esiste[4], ci sia[5], va[6], dovessi[7], fosse[8], sia[9], viene[10], so[11], piacciono[12], migliori[13], sia[14], abbia[15].

4. Congiuntivo e condizionale - La donna ideale (11) - vorrebbero[1], abbia[2], sia[3], si occupi[4], sia[5], dovrebbe[6], dovrebbe[7], dovrebbe[8], facciano[9], abbia[10], racconti[11].

5. Modi e tempi verbali - Se diventassi uomo sarei più autorevole? (23) - darebbe[1], chiedessi[2], considererebbero[3], sembrerebbe[4], facessi[5], sono[6], è stato/stata[7], ha cambiato[8], ero[9], ascoltava[10], sono[11], ha (appena) detto[12], sia[13], considerano[14], hanno (già) visto[15], portassi[16], assumessi[17], avessi[18], considererebbero[19], mostro[20], porto[21], pensano[22], scriva[23].

Key to the tests